MW00626377

Nouvelles

Antología del nuevo cuento francés

VOCES / LITERATURA

COLECCIÓN VOCES / LITERATURA

Esta obra se beneficia del apoyo del Servicio Cultural de la Embajada de Francia en España, del Ministerio francés de Asuntos Exteriores, en el marco del Programa de Ayuda a la Publicación (P.A.P. GARCIA LORCA), y de la Delegación General de la Alianza Francesa en España.

Nuestro fondo editorial en www.ppespuma.com

Primera edición: diciembre de 2005

ISBN: 84-95642-60-3
Depósito legal: M-44774-2005

c/Madera 3, 1º izq. 28004 Madrid
Tel.: 915 227 251 Fax: 915 224 948
E-mail: ppespuma@arrakis.es

Cubierta: equipo editorial
Composición: equipo editorial
Fotomecánica FCM
Imprenta Omagraf
Encuadernación Seis, S. A.
Impreso en España, CEE. Printed in Spain.

Nouvelles

ANTOLOGÍA DEL NUEVO CUENTO FRANCÉS

Selección y prólogo de Eduardo Berti
Traducción de Eduardo Berti y Mariel Ballester

PÁGINAS DE ESPUMA

ÍNDICE

PRÓLOGO
Eduardo Berti 9

EL TUTÚ
Paul Fournel 19

¿POR QUÉ?
Alain Spiess 27

EL MANUSCRITO ENCONTRADO EN SARCELLES
Didier Daeninckx 35

LITURGIA
Marie-Hélène Lafon 47

LO INHABITABLE
Georges-Olivier Châteaureynaud 53

ARIANE
J. M. G. Le Clézio 63

LA DECLARACIÓN
Christophe Paviot 79

EL RELOJ
Hervé Jaouen 89

EL PASADO POR VENIR
René Belletto 103

DEDICATORIA
Annie Saumont 115

LA PROFANACIÓN DE LOS CEMENTERIOS
Vincent Ravalec 121

EL CABELLO
Linda Lê 141

BIOGRAFÍA Y OBRA DE LOS AUTORES 149

PRÓLOGO

¿Existe una tradición, una línea dominante o algo que se le parezca dentro del cuento francés contemporáneo?

Harold Bloom ha señalado, a muy grandes rasgos, dos tipos de cuentos contemporáneos: los de herencia chejoviana y los de herencia kafkiana-borgiana. Aun a riesgo de sonar simplista, Bloom procura establecer una frontera neta entre estas dos concepciones. En la primera, el realismo (o la ilusión de realidad) busca primar sobre el artificio, y no es raro que el narrador intente hacerse poco visible, esconderse, a fin de no afectar esta ilusión, «mostrando» más que «contando».

Una separación igual de férrea podría establecerse, desde un punto de vista más estructural, entre los cuentos «abiertos», los cuentos-escena (que también podrían estimarse de herencia chejoviana) y los «cerrados», más centrados en una idea de trama y de «efecto final», que en su ortodoxia cumplen al pie de la letra, o casi, los postulados clásicos de Edgar Allan Poe.

Si la escuela del cuento norteamericano (desde Hemingway hasta Carver, pasando por Cheever, Malamud o Salinger) es chejoviana por antonomasia, si buena parte del fantástico rioplatense se ha consagrado a transitar por la otra vía descrita por Bloom, ¿qué decir del cuento actual en Francia?

Lo primero a señalar es que, a diferencia de Italia, de Inglaterra o más aún del continente americano, el cuento en Francia ha ocupado últimamente un lugar periférico comparado con la novela. Por lo tanto, más que ante una escuela predominante, nos hallamos ante arrestos, si no excepcionales, por lo menos bastante aislados.

Muy lejos parecen haber quedado los ilustres antecedentes de Maupassant, Anatole France, Alphonse Allais, Marcel Schwob, Théophile Gautier, Jean Lorrain o André Pieyre de Mandiargues, sin hablar del Flaubert de «Un coeur simple». Francia suele exhibirse y verse a sí misma como un país de novelas y novelistas. *Romancier* y *écrivain* son en la práctica sinónimos. En las librerías no es raro toparse con un letrero con la palabra *romans* (novelas), allí donde otros países suelen poner más ampliamente «literatura» o «ficción». Las pesquisas emprendidas para esta antología fueron más que reveladoras: de escritores establecidos como J. M. G. Le Clézio o Patrick Modiano, como Marie N'Diaye o Eric Holder, por citar cuatro casos, es sencillo localizar sus novelas (tanto en librerías como en bibliotecas públicas) pero es difícil tropezar con sus volúmenes de cuentos.

«Si hablamos de tradición, diría que la tradición francesa en materia de cuentos se distingue justamente por su falta de interés en el género», afirma Christophe Paviot, el más joven de los doce autores aquí seleccionados. «Me parece que los editores y los lectores franceses le prestan cada vez menos atención al tema. Para colmo, el cuento nunca tuvo verdadero reconocimiento como sí, por ejemplo, lo tiene en los Estados Unidos. Cuando un escritor se dedica a escribir relatos en este país, la gente tiene la impresión de que se trata ya sea de una suerte de entretenimiento privado, ya sea de cierta falta de inspiración. Los cuentos son a menudo percibidos como los restos de aserrín sobre la mesa de trabajo de un carpintero.»

El desinterés o el escaso entusiasmo que la industria editorial suele mostrar frente al género es uno de los temas que obsesionan a quienes se dedican al cuento en Francia. Salvo excepciones como el de Anna Gavalda en 1999 con *Je voudrais que quelqu'un m'attende quelque part* (doscientos mil ejemplares vendidos en Francia, traducciones a veintiún idiomas), son muy raros los libros de relatos que se han destacado últimamente por sus ventas o por la promoción y la atención que les hayan dedicado sus editores.

Algunas cifras son ilustrativas al respecto. En Francia han llegado a lanzarse unas mil doscientas novelas de autores locales por año. Desde los años cincuenta hasta 1980 se publicaron apenas unos treinta libros de cuento por año. A partir de 1978-1980, unos cincuenta aproximadamente. A partir de 1985, unos noventa. A partir de 1991-1992, debido a la crisis editorial, de nuevo unos cincuenta anuales.

«El cuento se ha convertido en el pariente pobre de la literatura francesa o, para ser más exactos, del mundo de la edición. Existen varios concursos, hay algunas revistas dedicadas al tema, pero todo se limita a un círculo de iniciados, de aficionados, y eso casi nunca influye en el universo editorial. Los editores franceses raramente aceptan publicar un libro de cuentos de un autor que no haya publicado antes por lo menos una novela», dice el cuentista y novelista Alain Spiess.

Por su parte, otro de los escritores aquí reunidos, Hervé Jaouen, añade: «Globalmente el público francés no es un gran aficionado al cuento y, peor aún, los editores nunca han dejado de despreciarlo. Aun cuando se constata en los últimos años cierto regreso, en rigor sigue siendo un género marginado: en la obra de un autor, en la producción de un editor, en los medios».

El «cierto regreso» al que alude Jaouen es innegable. Pese a las quejas, la sensación más o menos compartida es que el peor momento ya ha pasado.

«A comienzos de los años setenta apareció en Francia una generación de escritores que, pese a todo y contra todo, tomó la decisión de expresarse a través del cuento en un momento en que el género se hallaba aquí casi en un grado cero», sostiene Georges-Olivier Châteaureynaud. «Cuando se haga el balance de estos últimos treinta años, se tomará conciencia de la importancia del género.»

«Se repite que el cuento anda mal. Es una de las tradiciones de la literatura francesa. En verdad, el cuento siempre tuvo lectores fieles. Lectores exigentes, no muy numerosos pero conocedores», cree Paul Fournel para quien «en los últimos años parece haberse producido un cambio con la creación del Festival del cuento en St. Quentin, que le ha dado una mayor visibilidad al género y les ha permitido a los cuentistas conocerse y solidarizarse. Un golpe de confianza.»

La instauración del premio Renaissance de la Nouvelle, consagrado exclusivamente al cuento, es otro buen síntoma. Creado en 1991, el premio ya fue otorgado a autores franceses y belgas como Fabienne Jacob, Jean-Marc Aubert, Linda Lê, Annie Saumont, Vincent Engel, Jean-Noël Blanc, Alain Gerber, Alain Spiess, Suzanne Bernard, Hubert Haddad, Sylvain Jouty, Hugo Marsan, Marie-Hélène Lafon y Georges Thinès.

Hasta la existencia del Renaissance, prácticamente la única distinción relevante (en un país donde abundan los galardones literarios) era el Goncourt del cuento, una suerte de beca-premio promovida recién en 1974. Hasta 1979 la academia Goncourt entregaban dos recompensas: a un libro de cuentos y a un relato publicado en un medio de prensa. La desaparición de la segunda categoría (por falta de textos) confirma una repetida conjetura: que el cuento suele desarrollarse mejor en aquellos países donde las revistas literarias, o no literarias, le otorgan un mayor espacio. Que en los últimos años la revista *Elle*, por ejemplo, haya empezado a publicar cuentos (notoriamente en verano, como suele ser lo usual) ratifica este «cierto regreso» pero, asimismo, no deja de ser una de las excepciones que confirman la regla.

El lector encontrará en la presente antología un muestrario de la rica heterogeneidad que impera en el cuento francés de las últimas décadas: cuentos realistas, fantásticos o a caballo entre ambos mundos; cuentos que cumplen casi a rajatabla el viejo mandato del golpe de sorpresa final; cuentos donde el ámbito es tanto o más protagonista que los hombres (no es casual, en este caso, el título del relato de Le Clézio), cuentos organizados en torno al deseo o la voluntad de un personaje (vaya el de Fournel como ejemplo), cuentos crueles, humorísticos, triviales o melancólicos, cuentos en primera o tercera persona, cuentos de escritura ajustada o de puntuación más bien libre, cuentos franceses de pura cepa o no tanto, cuentos ambientados en Francia o no, cuentos más o menos ambiguos, más o menos inquietantes...

«Creo que un cuento debe basarse en un efecto de sorpresa: embarcar al lector en una dirección, guiarlo tranquilamente hacia la salida, darle incluso el tiempo de imaginarse el paisaje, la continuación, nuevas imágenes, y *buuum,* sucede algo que él no se esperaba», afirma Christophe Paviot y, de hecho, su relato incluido en esta antología cumple el axioma. «Me gustan los finales inesperados, sobre todo cuando el autor se ha tomado el trabajo de sembrar pistas falsas o elementos incongruentes. Cosas extrañas, algo *weird* como dicen los norteamericanos.»

«Pienso que el arte del cuento, en Francia, sufre de lo que llamaría el "síndrome del relato acabado", es decir, la obligación de narrar una historia con un inicio, un desarrollo y un final cerrado (la sacrosanta "caída"), de ser posible sorpresivo, tal como lo reclama la mayoría de los lectores», dice entretanto Hervé Jaouen, y agrega: «Los mejores cuentos son aquellos que le ceden el mayor terreno a lo no dicho. A mis ojos, el cuento ideal es aquel donde no ocurre nada (ninguna acción, ningún acontecimiento digno de tal nombre, nada más que lo "cotidiano", la simple narración de un fragmento de vida, breve o extenso, poco importa), pero donde lo no dicho, precisamente, deja entrever o adivinar cataclismos, que han de producirse o no. En definitiva, el cuento ideal debería parecerse acaso al extracto de una novela, donde el autor se encargaría de sugerir lo que ha pasado antes y dejaría entrever o adivinar lo que va o no va a ocurrir más tarde».

La imprecisión o vaguedad con que se emplea el término *nouvelle* en Francia resulta todo un llamado de atención. Críticos, editores y escritores suelen recurrir a dicha palabra para nombrar tanto a un cuento como a una novela breve, y hasta a la incipiente tradición de los microrelatos. Tan sólo los cuentos tradicionales (infantiles, de hadas o filosóficos) son denominados *contes.*

Resumiendo: el término *nouvelle* (sumado, si somos estrictos, al término *récit)* parece englobar a *todo-lo-que-no-es-novela.*

No es casual que Francia, país tradicionalmente a la cabeza de la crítica literaria, haya producido en las últimas décadas buena parte de los mejores ensayos consagrados a la novela y a la, digámoslo así, «labor literaria», pero muy pocos textos dedicados al cuento. Las literaturas de habla inglesa, española o italiana parecen llevar cierta ventaja en este punto.

El «complejo de la novela» que parece aquejar a muchos literatos franceses no ha impedido que los cuentistas elaboren sus teorías sobre el género. Curiosamente, o no tanto, muchas autoafirmaciones provienen de una comparación con el género «adversario».

De acuerdo con Alain Spiess, «el cuento es una ventana que da a un paisaje, como esas ventanas que hay en los cuadros de los maestros italianos del Renacimiento, por ejemplo, y que no dejan ver sino una parte del paisaje mientras invitan a imaginar lo que está oculto. La novela, en cambio, es una bahía desde donde puede contemplarse la totalidad del paisaje, lo cual no impide sin embargo imaginar qué hay más allá del horizonte».

Para Georges-Olivier Châteaureynaud, «una novela se asemeja a una bola de nieve que al avanzar recoge todo lo que encuentra en su camino, mientras que al contrario el cuento es una cosa en sí misma, que se debe mantener lejos del tapiz de nieve, para permitir que se desarrolle de la forma más densa y coherente que sea posible. Un cuento se hace "des-escribiendo". Se esculpe y se vuelve a tallar».

El criterio de selección para la presente antología ha sido, en primer lugar, el de calidad y variedad, con todo lo subjetivo del caso. Otro criterio ha sido el de presentar solamente autores vivos y en actividad.

Si en un comienzo quiso fijarse el criterio de incluir únicamente escritores nacidos después de 1944/45, para fijar la doble barrera de los sesenta años de edad y del final de la Segunda Guerra Mundial, muy pronto esto debió ser abandonado. La presencia de Annie Saumont (nacida en 1927) viola ampliamente las normas antedichas pero se hacía inevitable porque su obra pertenece a una generación más joven, tanto por su estética como por la influencia que sigue ejerciendo y por el hecho, asimismo, de que sus cuentos más significativos fueron publicados en los últimos treinta años.

La antología no se restringe, por otra parte, a los así llamados «especialistas en el cuento», pero sí se ha limitado a buscar entre los escritores que llevan publicado por lo menos un libro de cuentos, y no un par de relatos aislados en revistas o en antologías.

De los doce autores aquí reunidos, tres pueden considerarse sin lugar a dudas como «cuentistas de raza». Es el caso de Paul Fournel, de G. O. Châteaureynaud y de la recién mencionada Saumont. Los otros autores son novelistas que han incurrido en el género con mayor o menor regularidad.

Algunos temas (soledad, intrincadas relaciones familiares) resurgen en los doce cuentos escogidos, así como en la última producción en general, pero lejos estamos de una particularidad propia del género, basta cotejar con los temas que presiden a su vez las novelas o aun las películas francesas actuales.

Algunos relatos de esta antología provienen de libros organizados de forma heterogénea. Otros provienen de libros que el autor armó de modo explícito en torno a algún tema central. El primero de los cuentos seleccionados, «El tutú» de Fournel, pertenece a un libro que desde el título *Les grosses reveuses (Las gordas soñadoras)* demarca un universo. Lo mismo ocurre con «Ariane» (Le Clézio), que forma parte de una serie de relatos ambientados en el suburbio y protagonizados por jóvenes e inmigrantes. En cuanto a «El reloj», dice su autor (Jaouen) que «integra un libro donde todos los cuentos llevan al mismo final (el suicidio), lo que equivale a desafiar la idea del desenlace sorpresivo, dado que el lector sabe de antemano cómo ha de terminar la cosa».

Esta costumbre, bastante repetida en Francia, de publicar libros de cuentos explícitamente temáticos, ¿constituye acaso otra manera de disputarle espacios a la novela? La respuesta no es tan sencilla. Aunque sus libros de cuentos transmiten una clara sensación de unidad, Saumont y Châteaureynaud no son de suscitar este efecto con elecciones temáticas. «Yo espero que la unidad aparezca en mi estilo. La unidad es un estilo que se mantiene», estima Saumont, que se caracteriza por sus frases cortas, por su vitalidad y por una puntuación sumamente libre. «Mis cuentos son el fruto de un trabajo puramente intuitivo. Yo no "elijo" nada. El texto se hace y luego yo "desgraso", quito, pulo», dice Châteaureynaud, quien se caracteriza por el clima onírico y fantástico que reina en buena parte de su obra. «Mis libros de cuentos no están organizados en torno a un tema central, sino que simplemente siguen el orden cronológico en que fueron escritos. El orden cronológico es el orden de evolución interior. En síntesis, yo no busco una unidad dentro de cada libro de cuentos, y sí en cambio una unidad en el conjunto de todo lo que he escrito.»

Decir que toda antología se hace también con los textos y los autores que estuvieron a punto de integrarla y que por diversas razones quedaron al margen, puede parecer trillado o un mero gesto de buena educación, no obstante es cierto.

La producción del cuento en Francia durante las últimas décadas, si bien no arroja a las claras una línea estética predominante (¿y por qué tendría que hacerlo?), confirma lo dicho por Châteaureynaud acerca de cierto renacimiento, de cierta *resistencia*.

Que el género no sea visible, ni promovido, ni celebrado a la altura de la novela, no ha impedido su desarrollo.

Claude Pujade-Renaud, Marie Desplechin, Christiane Baroche, Pierre Furlan, Patrick Besson, Tonino Benaquista, Claude Bourgeyx, Pierrette Fleutiaux, Christian Bobin, Ludovic Janvier, Daniel Boulanger, Jean-Pierre Andrevon, Régine Detambel, Hervé Le Tellier, Marc Villard o Pierre Hebey conforman una lista (incompleta, desde luego) de buenos y muy buenos cuentistas franceses en actividad.

«Son los autores quienes hacen la literatura», sostiene con acierto Paul Fournel. «En consecuencia, si existe una escuela del cuento francés, esta se llama Maupassant, Marcel Aymé, Jacques Bens, Annie Saumont, Georges-Olivier Châteaureynaud... y tantos más. Todos ellos son distintos y abordan el cuento de forma variada. Sus diferencias, así como sus cualidades, constituyen la tradición del cuento francés.»

EDUARDO BERTI
Buenos Aires, octubre de 2005

Las citas de los autores provienen, en su mayor parte, de una serie de entrevistas realizadas por el responsable de esta antología.

EL TUTÚ

Paul Fournel

Josette Baconnier nunca tuvo edad de bailar. Había nacido en una familia de temperamento y de gustos rústicos, en la que cada día le prometían que bailaría al día siguiente. Cuando el día siguiente llegó y pudo ir a su primer baile, conoció al hombre de su vida, que se casó con ella tras haber bailado juntos un único tango. Le reclamó otros más, pero su esposo, que era el mejor hombre del mundo, respondía a todos sus pedidos con un lacónico: «Ya no es propio de nuestra edad».

Josette se acostumbró a la idea de que era muy vieja para bailar... Aunque eso no hizo, que el deseo desapareciera.

Pensó que la maternidad la curaría definitivamente y lo cierto es que en los últimos meses de su primer embarazo no soñó más con cabriolas, pero, no bien hubo nacido su hijo, se vio forzada a admitir que el deseo había regresado. Y después del nacimiento del tercero, este era más fuerte aún.

Tuvo, pues, que vivir con él.

Decidió bailar a escondidas.

Hizo el cálculo de los momentos de soledad disponibles en el día, y pensó en aprovecharlos. Podía trabajar, a grandes rasgos, dos medias horas por día.

Cada mañana bajaba antes que los demás para preparar el desayuno en la cocina. Era el mejor momento. Mientras miraba hervir la leche, hacía ejercicios de barra empleando el borde de la mesa. Los hacía tan intensamente como su robustez se lo permitía, y lo más suavemente posible para no despertar a toda la casa. Su único pesar era que debía hacerlos en pantuflas; las zapatillas de satén, asomando de su bata de nylon guatineado, no habrían dejado de llamar la atención. Para atenuar su decepción, tenía la costumbre, antes de empezar, de fingir que anudaba en torno a sus pantorrillas los lazos rosas de sus zapatillas imaginarias. Era el gesto mágico que le permitía entrar en la realidad de su sueño.

Los ejercicios matutinos eran muy rigurosos. Se imponía a sí misma una serie de ejercicios de estiramiento, luego algunas series de *fouettés* y de *entrechats*. La fantasía y la improvisación estaban excluidas.

Al bajar por la escalera, unos veinte minutos más tarde, sus hijos y su marido la encontraban sentada a la mesa, tranquila, la tez rozagante y el apetito abierto.

En su jornada había un segundo momento de relativa calma al regresar del trabajo, al final de la tarde, antes de que su esposo volviese y mientras sus hijos hacían los deberes en la primera planta. Entonces daba rienda suelta a su pasión, pero nunca sobrepasaba los límites de la alfombra que sofocaba el ruido de sus saltos.

Al principio, no se sentía muy segura de su técnica y no se atrevía a comprar libros que hubiesen traicionado su secreto. Se las arregló por lo tanto como pudo hasta el bendito día en que su única hija, Micheline, cumplió los seis años.

Con la excusa de que una niña debe saber bailar y que no debe aprender en cualquier lugar, fue a la ciudad y visitó todos los cursos de danza que encontró. No era sectaria: le gustaba la danza en general y se dirigió tanto a las salas de danza clásica como a las de danza moderna, popular o jazz.

Fue como un cuento de hadas.

La pesquisa duró dos sábados que para Josette Baconnier fueron días inolvidables. Con su hija aterrorizada, aferrada a su falda, vio desfilar unas legiones de ratitas en tutú corto, unas oleadas de bailarinas, delgadas como juncos y con casacas de color. En la roja penumbra de un curso de tango, vio ondular vestidos con volantes, vio combarse unas espaldas de toreros, vio brillar unos ojos achinados.

Por todas partes oía una música atronadora, esa música esencial de la que se hallaba privada. Ya que estaba fuera de toda cuestión que ella pusiera un disco durante sus sesiones de trabajo, excluido incluso canturrear una melodía o contar en voz alta los compases.

Aprovechó su pesquisa para archivar la mayor cantidad de imágenes posibles, para almacenar una provisión de movimientos inéditos que a continuación repetía delante del horno.

Escogió para su hija un curso de danza clásica y la acompañó a su primera lección. Muy pronto tuvo que rendirse ante las pruebas: Micheline era pata dura y nada en ella dejaba prever una futura estrella de la Ópera de París.

A la pequeña, de hecho, le gustaba muy poco el ejercicio, se aburría mortalmente y no entendía qué interés podía haber en estirar de esa forma los músculos de los muslos.

Pero era una buena niña y se esforzó.

Josette aprendió mucho.

Observaba tanto, tanto, y participaba con tal ardor interior que acababa las lecciones más molida que su hija.

Pronto se convirtió en una especialista en ballet clásico. Mientras Micheline se duchaba y repeinaba, ella asistía a los cursos de las mayores que preparaban una gran fiesta de fin de año.

La televisión también era para Josette una fuente de valiosas informaciones. Sin embargo debía utilizarla con más precaución. Cada vez que unas bailarinas aparecían en la tele, su marido decía:

–¡Mira cómo gesticulan las imbéciles!

Frase que sus hijos repetían, por supuesto, para imitar a papá.

Ella, por norma, solía ubicarse de pie, detrás del sofá en el que todos se hallaban apoltronados, para que no pudieran ver brillar sus ojos, y no se perdía ni una migaja del espectáculo. Así fue como descubrió a Bejart, Carolyn Carlson, las estrellas del Bolshoi, Jorge Donn, Maia Plisetskaia y Les Clodettes.

Una noche, una bailarina ejecutó un movimiento tan perfecto y tan curioso que no pudo resistirse a la tentación de intentarlo en el acto. Se lanzó, lo más discretamente que pudo, y cayó redonda detrás del sofá. Había calculado mal su impulso.

Afortunadamente para ella, la familia pensó en una descompostura, la tendieron sobre el sofá, le pusieron en la frente unas compresas de agua fría. Desafortunadamente para ella, apagaron también el televisor.

Su hija cumplió quince años. Su figura se afinó, sus piernas se alargaron y encontró un lugar entre las «grandes». Llegado el momento, preparó una gala.

Josette se fue agotando. Ensayaba mentalmente de la mañana a la noche cada encadenamiento, le angustiaba la idea de un público, tenía miedo de que las compañeritas no estuvieran a la altura... A cuatro meses del acontecimiento, decidió no perder ni un minuto más y confeccionar ella el tutú romántico. Trabajó sin tregua. Y, como su hija no estaba allí, se lo probó ella misma.

La gala iría tal vez a convertir a su marido. A lo mejor, viendo bailar a su hija, se dejaría llevar y cambiaría de parecer; a lo mejor pronto tendría un hogar lleno de música, en el cual todos podrían bailar a su antojo...

Cuando Micheline llegó en el ómnibus del sábado, Josette se abalanzó sobre ella, la arrastró a su habitación y, radiante, le entregó el tutú.

La jovencita no mostró entusiasmo alguno.

La decepción de Josette fue terrible.

Pero recibió otro golpe aún más terrible: Micheline le anunció con calma su irrevocable decisión de no participar en la gala y de no bailar más.

Fue un duro impacto.

Josette envolvió cuidadosamente el tutú en un papel suave, lo guardó en el armario del espejo y no habló nunca más del tema. Durante todo el fin de semana, apretó en su bolsillo un pañuelo hecho una bola y refunfuñó bastante.

No estaba enfadada con ella, pero le parecía una pena haber llegado tan lejos y abandonar sólo a pocas semanas de la gala...

Debió pasar algún tiempo para que se recobrara de la decepción.

Ya no tenía ningún motivo para asistir a los cursos y, sin pasión, se puso a bailar en sus recuerdos.

Josette, volvió a tener coraje el día en que el menor de sus hijos partió también a la ciudad. Entonces pudo darse el lujo de correr el sofá y de poner música. Tuvo la sensación de estar haciendo serios progresos.

Josette estaba de visita en casa de una amiga cuando su marido murió por culpa de un pequeño mal paso en un andamio. La vinieron a buscar y corrió a toda prisa hasta la obra, sin ponerse ni siquiera el impermeable.

Sintió una pena espeluznante.

No había pensado que la muerte fuese así. Se habría quedado con gusto a solas con su esposo por algunas horas, pero no tuvo ni un segundo libre.

Debió arreglar los detalles del entierro, hacerle firmar los papeles al doctor, lavar el cuerpo, vestirlo, ordenar la casa, encargarse de las flores, conseguir la capilla ardiente, avisar a la familia y sobre todo soportar las condolencias de todas y de todos, detenerse mil veces para escucharse decir que era una desgracia, que los mejores son quienes parten primero... Se refregaba los ojos, respiraba hondo y partía rumbo a sus obligaciones.

Durante todo el día, una idea la persiguió: se odiaba por no haber sido más perfecta con su esposo. Se odiaba en especial por no haberle dicho todo y por haber guardado en secreto una parte tan importante. Cien veces había tenido la intención de confesarle todo, y cien veces la había pospuesto. Ya sentía instalarse un nudo de remordimientos, con el cual tendría que convivir en adelante.

La jornada pasó como un remolino.

Micheline y los varones llegarían al día siguiente.

Hubo tanto y tanto que hacer que Josette sólo tuvo un respiro después de medianoche.

El pueblo estaba dormido. La capilla ardiente ponía una mancha de luz anaranjada en la casa silenciosa y negra.

Josette permaneció largo rato en el umbral de la pieza, a solas por primera vez. Gruesas lágrimas silenciosas corrían por sus mejillas. No sentía más el cansancio, de tan cansada que estaba, y los remordimientos, allá en la penumbra, resurgían para torturarla.

Después de un largo momento mirando el cadáver, se dirigió al armario apoyando apenas las puntas de sus pantuflas. Se desvistió frente al espejo, conservando tan sólo sus bragas y su camiseta de tricota. Abrió la puerta y extrajo del papel el preciado tutú.

Lo ató a su cintura, tiró hacia atrás los cabellos que sujetó con ayuda de una peineta y le ofreció a su esposo muerto su primera gala.

Le mostró todo cuanto había aprendido, todo cuanto sabía, bailó mejor que en un sueño, mejor que con un disco... Su tutú, al girar, hacía mecer las llamas de los cirios, alargando su sombra en las paredes.

Mantuvo los ojos cerrados, la cabeza gacha, los bazos arqueados. Los *fouettés* borraron toda fatiga, las puntas alejaron sus temores.

Tenía en su cabeza toda la vida y toda la música posibles, todos los violines de Viena, todas las orquestas de todas las óperas, e iba llenando la habitación silenciosa con el terrible crujido de sus rodillas.

¿POR QUÉ?

Alain Spiess

La primera vez que entré en aquella casa de Passy, en el instante preciso en que Vanessa me decía *estarás bien aquí,* supe, al oír el doble chasquido del portal de vidrio que se cerraba detrás de nosotros, que nadie podía abrirla desde el interior para salir a la escalera de entrada, y mientras mi hermana, sorprendida por el ruido de la cerradura automática, giraba maquinalmente la cabeza, el doctor Sernin posó su mano sobre la mía y dijo *¿por qué no va a estar bien?* En aquella tarde de fines de junio, parado en el vestíbulo donde, pese a la acogedora frescura de la casa, yo sabía que mi rostro debía de chorrear de sudor, me acordé del ruido de la llave de la puerta de mi habitación, cerrada cada día del lado exterior por mi padre o mi madre, para evitar que yo saliera de noche, así decían, y en el vestíbulo vacío, en esa tarde que comenzaba, junto a mi hermana que acababa de decir *¡henos aquí!,* volvía a verme por las noches en mi cama, pendiente de los pasos que se aproximaban por el corredor, aguardando el ruido de la cerradura para poder dormirme. *¡Bien!* había dicho el doctor Sernin girando hacia mí, vamos a quedarnos los dos, y Vanessa puso una mano en mi hombro a modo de despedida, como a veces solía hacer, y mientras la observaba alejarse en dirección al portal de vidrio, veía el jardín cercado con altos muros de piedra y me decía *ahora estoy aquí*, tal como de noche, en mi cuarto, cuando, más grande, absorbido por el rompecabezas que ella me regalaba cada Navidad, yo decía *¡al fin en casa!* una vez que habían echado llave hasta la mañana siguiente. Una noche, sin embargo, al oir resonar los pasos de Vanessa en las baldosas del vestíbulo, recordé que Anna, nuestra criada inglesa, no había cerrado con llave la puerta de mi habitación, como tendría que haber hecho, tras haberme traído la bandeja con la cena. Me gustaban los días en que mi madre decía *esta noche él cena en la habitación*, ya que estaba seguro de encontrar en mi bandeja el salmón marinado, los raviolis de ricotta, el *éclair* de chocolate, y, finalizada la cena, escuchaba la llegada de los invitados, las idas y venidas de Anna entre la cocina y el comedor, y por último, mientras buscaba entre las piezas de madera de mi rompecabezas un pedazo de cielo, el rumor de las conversaciones en el salón, del otro lado de la pared de mi habitación. *Un momento*, le había dicho el doctor Sernin a Vanessa quien, con la mano en el pomo, miraba los sauces llorones a la espera de la apertura de la puerta. La noche del concierto, me decía a mí mismo, los ojos fijos en Vanessa, supe, antes de que llegaran los invitados, que la puerta de mi habitación no había sido cerrada con llave, y me prometí ir a ver cómo Vanessa tocaba el piano traído esa misma mañana, un verdadero piano de cola, más grande que ese otro en el cual había querido un día enseñarme a tocar. *Tú no hablas, pero puedes ha-*

cer esto también, dijo mostrándome la forma de colocar los dedos, y, como yo me puse enseguida a golpear en el teclado con toda la fuerza de mis puños, ella tuvo que ir a pedir ayuda para que vinieran a arrancarme del taburete, tanto que a partir de aquel día ya no tuve más permiso para entrar en su habitación, ni siquiera para escucharla sentado en su cama *a fin de no molestarla,* decía mi madre. La noche del concierto, después de todos esos años en que yo había oído el piano cada día desde mi habitación, me escurrí por el corredor desde el inicio de la primera pieza y vi tocar a Vanessa por la puerta del salón que había quedado entreabierta. Parado en el vestíbulo de la casa de Passy, a solas en aquella tarde de junio, oí abrirse el mecanismo del portal de vidrio accionado por el doctor Sernin, y vi a Vanessa, al fin liberada, salir sin mirar atrás, y, en ese mismo momento, pensé en el final del concierto en el salón de nuestro piso de París: me había abalanzado hacia ella en medio de los aplausos, y, al llegar muy cerca del piano, me detuve, dado que estaba sonriendo a quienes aplaudían, como probablemente lo haría más tarde al cabo de cada uno de sus conciertos, sonreía sin verme, y yo estaba allí, sin sentir la mano que de inmediato se había posado sobre mi hombro. *Venga,* dijo el doctor Sernin, tomándome de un brazo, y de este modo, el día de mi llegada a la casa de Passy, salí del vestíbulo acompañado por el doctor Sernin, así como años antes había salido del salón de nuestro piso de París del brazo de nuestra criada Anna, tras haber visto por vez primera a los invitados, de los cuales había oído, una u otra noche, las voces más allá de la pared de mi habitación, mientras mi madre decía, en tono de excusa, al tiempo que Anna me limpiaba la cara, *dejó de hablar cuando nació su hermana.*

Hoy, años después, me acuerdo de mi llegada aquí con Vanessa, pocos meses antes de la muerte del doctor Sernin en un accidente automovilístico, y me digo, quitando los ojos de las piezas de marfil de mi rompecabezas, que desde que estoy en esta casa de Passy, no salí ni una sola vez al jardín que en este momento contemplo desde la ventana de mi habitación. La mañana en que Vanessa vino a sentarse en mi cama y me dijo, pasando una mano en mi hombro, *mamá murió anoche*, cerré los ojos por un instante, y pensé de inmediato que ahora yo tendría que dejar el piso donde los dos habíamos vivido en los últimos años. Mi hermana siempre venía a cenar una vez con nosotros en el curso de sus breves estancias en París, y en dicha ocasión, mi madre preparaba ella misma la cena, e intentaba hacer una fiesta de esas veladas: sacaba a la luz los manteles bordados, los vasos antiguos y la platería que yo no había visto jamás, reservados en otros tiempos, cuando mi padre aún vivía, a las recepciones a las que yo nunca había asistido. Vanessa hablaba de Londres, de Munich, de Jerusalén de donde venía de dar sus conciertos. Mi madre decía *sí, me acuerdo, con tu padre...* mientras que yo, mirando a mi hermana sentada enfrente, del otro lado del candelabro de plata al que ella siempre quería apagarle las velas, para evitar que yo transpirase, yo pensaba en el rompecabezas que ella acababa de darme. *Toma*, me decía al llegar, *es para ti*, y yo corría a mi habitación a arrancar el papel de embalaje, y leía en la tapa el nombre, el formato y el número de piezas, únicas informaciones brindadas al amante de los rompecabezas de madera cortados artesanalmente, antes de abrir la caja y examinar su contenido.

Y hoy, contemplando ahora los altos muros del jardín, pensando azarosamente que, de un día al otro y sin sufrir, perdí el deseo de salir, me acuerdo de la decepción sentida al ver el último rompecabezas que hubo de obsequiarme Vanessa, cuando, en lugar del *Northern Moors* de diez mil piezas que figuraba en el catálogo de la casa Hardby, Pott and Hardby, largo rato prometido, ella me entregó un paquete con la forma de un pequeño álbum, que yo dejé a un costado, sin siquiera abrir. Y hoy, después de tantos años pasados en esta habitación, absorbido por mis rompecabezas, también recuerdo que la mañana de la muerte de mi madre, después de que Vanessa se levantase de mi cama, pensé *nadie más me sacará a pasear, nadie más me hablará, nadie más me besará,* y al cabo de unos días me hallaba aquí, una tarde de junio, parado en el vestíbulo, a solas, observando cómo Vanessa descendía los peldaños de la escalera de entrada. La gran mesa en la que hacía mis rompecabezas en nuestro piso de París había sido traída la víspera a mi habitación, pero, no sé por qué, los primeros tiempos de mi instalación aquí, dudé hasta sacar mis cajas, permanecía tendido en mi cama días enteros a la espera de mi entrevista con el doctor Sernin, que, como tantos otros, pero contrariamente a sus sucesores, esperaba devolverme el habla. Vanessa vino a verme, luego me envió de tanto en tanto unas postales de las ciudades donde daba sus conciertos. Un día, tras la muerte del doctor Sernin, me parece, saqué una de las cajas del armario, dispuse las piezas de madera en la mesa, y, durante todo el día, las fui uniendo con paciencia, frente a la ventana desde la cual ahora mismo contemplo los altos muros de piedra blanca que comienzan a sonrosarse bajo la luz del atardecer. Cuando supe que Vanessa no vendría más a visitarme, consulté el catálogo de Hardby, Pott and Hardby, *puzzle makers*, e hice, me digo, lo que quizás nadie hizo nunca: armé aquí, en la casa de Passy, encerrado en esta habitación de la primera planta, sin ver a nadie jamás, con excepción de las asistentas y de las enfermeras que, cuando pasan a hacer mi cama o a traerme ropas o medicamentos, aprovechan para limpiarme la cara, sí, me digo en este instante, armé los setenta y cinco rompecabezas de más de siete mil quinientas piezas propuestos por la casa de Londres. Hace justo ocho días terminé el último, el más bonito, el más difícil de todos, el *Northern Moors*, y, tras haber puesto la última pieza, a la vez que observaba, por fin completa, la gran landa de Yorkshire reconstruida, pensé en la última noche en que Vanessa vino a visitarnos, antes de que muriera mi madre, y volví a verme en la entrada de nuestro piso de París, recibiendo, lleno de rabia, la pequeña caja envuelta en papel negro. Así, hace una semana, acordándome del último rompecabezas de Vanessa que dejé a un lado, sin siquiera quitarle el papel, abrí el paquete, y, en cuanto leí en la caja laqueada en rojo: *Indian Delights*, recordé que ella me había dicho que lo compró en un anticuario de Chelsea y que ignoraba su grado de dificultad. Hoy lo sé, este rompecabezas en miniatura de innumerables piezas talladas en marfil es el juego más difícil con el que me haya enfrentado. Hace siete días que examino una por una estas piezas que parecen todas de un azul idéntico, siete días he pasado, lupa en mano, intentando ensamblar, sin el menor éxito, los minúsculos pedazos de marfil, siete días al término de los cuales no consigo aún imaginar lo que pueden representar estos *Indian Delights*, y por ello, en la noche del séptimo día, agotado por un esfuerzo tan infructuoso, miro el jardín para descansar los ojos, y vuelvo a pensar en esa tarde de junio en que lo atravesé del brazo de Vanessa para venir a instalarme aquí, en esta casa entonces dirigida por el doctor Sernin. Me digo que en el momento en que mi hermana me dijo *estarás bien aquí*, yo ya sabía que tendría que vivir sin compañía, oculto a la mirada de los demás y, de hecho, tras la última visita de Vanessa, tras la muerte del doctor Sernin, he pasado todos estos años sin ver a nadie, encerrado en esta habitación de la primera planta, tal como estuve anteriormente encerrado en mi habitación del piso de París, para no molestar a Vanessa, para no asustar a los invitados, incapaz entonces de hablar, tal como ya lo estaba cuando Anna, nuestra criada inglesa, nos llevaba al parque Monceau y, mirando a Vanessa jugar con los otros niños, yo no dejaba de decirme, transpirando bajo mi gorro blanco de algodón, *pídele que juegue contigo*, incapaz de hablar, igual que hoy, cuando, viendo las piedras de los muros teñirse de púrpura, renacen en mí los rostros incómodos de mi padre y de mi madre, la indulgente sonrisa de Vanessa, el pañuelo de lino blanco con que Anna me limpiaba la cara, al tiempo que resuenan en mi cabeza, más y más dolorosamente, esas palabras que siempre he guardado en mí, y que en este momento quisiera gritar con todas mis fuerzas: ¿por qué?

EL MANUSCRITO ENCONTRADO EN SARCELLES

Didier Daeninckx

Gabriel Tasson-Vasseur posó sus ojos en la biblioteca que ocupaba la pared de enfrente y se puso a contar, en latín, los volúmenes encuadernados en cuero y apretujados en el estante superior derecho, luego volvió a contabilizar la cantidad de estantes y multiplicó. La cifra de tres mil doscientos veintisiete hizo nacer, como cada día, una sonrisa en sus labios académicos. Necesitaba llegar a ese resultado para estar en condiciones de empezar su jornada laboral. Con la mente en paz, abrió el cofrecillo pintado, puesto en la exacta mitad de su escritorio, y acomodó entre sus dedos la joya Cartier que le servía de lapicera. La pluma labrada se abrió en dos, bajo la presión, dejando a su paso un hilo delgado de tinta brillante:

El ministro hizo pasar al procurador del rey a su despacho y le señaló una silla.

«Sin duda –dijo– esta semejanza entre su poder, totalmente oficial, y el de nuestra asociación, rigurosamente clandestina, pueda impactarle a primera vista.

Lo concibo. Pero más allá de lo que reclamamos, y a pesar de esta impresión superficial y del sentido de igualdad democrática que ustedes poseen en un alto grado, se dará cuenta de que si sus decisiones ejercen una supremacía en el reino del derecho, las nuestras son maestras en el reino del hecho, en el cual nos destacamos.»

Gabriel Tasson-Vasseur se dejó caer contra el respaldo de su sillón y releyó en voz alta el monólogo de su personaje principal. Por un instante se interrogó sobre la pertinencia de la palabra *democrática* que redundaba con *igualdad*, estuvo tentado de tacharla y acabó dejándola en su lugar, viendo en ello una suerte de provocación. Era casi mediodía cuando posó tres veces la punta de su pluma sobre el papel para clausurar el antepenúltimo capítulo de su novela con unos puntos suspensivos. Las campanas de las doce y cuarto sonaron en Saint-Philippe-du-Roule cuando el ama de llaves empujó la puerta del escritorio y atravesó el recinto, sin decir palabra, hasta dejar la bandeja cargada de cubiertos y de vituallas en una pequeña mesa redonda, cerca del ventanal. El académico se puso de pie y se refrescó las manos y el rostro en el baño adyacente a su cuarto de trabajo. Colocó la silla de forma tal que su mirada se orientase hacia el eje de los Campos Elíseos evitando los rayos directos del sol, luego mordisqueó las terrinas, las carnes frías y los quesos. Se permitió un vaso de *château-pirotte,* un vino de la tierra que de ordinario bebía, antes de pedir que le llamaran un taxi. Cierto lejano primo que ni siquiera sospechaba que existiese y que enseñaba en un liceo de Sarcelles, le había escrito al Quai Conti* algunos meses atrás, para pedirle que fuera a lo sumo

*Sede de la Academia Francesa.

una hora a su clase a fin de reunirse con una treintena de alumnos que estudiaban *Murallas y espejismos,* uno de sus primeros textos que, por haber recibido el premio Albert de Bruynhes, había sido decisivo para el reconocimiento del que era objeto la obra de Gabriel Tasson-Vasseur. Había cometido el error de aceptar, por deferencia al apellido que encabezaba la carta pero en el momento de abandonar su mesa de trabajo advertía cuánto le costaba este gesto tan generoso. Por una fracción de segundo, sabiendo que nadie tendría el coraje de reprenderlo, tuvo ganas de renunciar a ir. Abrió las cortinas y vio un Mercedes aparcando frente al porche del antiguo hotel particular de los Cavalcanti, se dirigió a la escalera y luego, cambiando de idea, recogió las páginas dispersas del manuscrito en curso, las metió en un maletín de cuero blando y abandonó la habitación definitivamente. Durante el viaje verificó algunos pasajes, sustituyendo la expresión *caballo cansado* por *equino extenuado,* y sirviéndole a algunos viajeros demorados y hambrientos, diez páginas después, *almodrote* en lugar de *asado.* La basílica de Saint-Denis, que había visitado en una sola ocasión, una mañana fría de fines de enero, surgió ante él desde la autopista, rodeada por edificios espejados, propios de la renovación del centro. Cerró los ojos frente al recuerdo de aquella misa celebrada por el reposo del alma de Luis XVI, a dos siglos, día por día, de su decapitación.

Nunca había pisado Sarcelles. Las únicas imágenes que tenía del barrio provenían de la tele. Algunos documentales de actualidad en blanco y negro, de principios de los sesenta, cuando la llanura se había visto cubierta de paralelepípedos de hormigón separados por unos revestimientos de asfalto rectilíneo. Le sorprendieron las amplias extensiones de césped que rodeaban los edificios, la tenaz presencia de árboles de todo tipo que alcanzaban sólo en parte a enmascarar el gris desteñido de las fachadas. El liceo Strauss-Kanakos, bautizado con el nombre de un músico austro-griego amigo de Byron, había sido construido en medio de un parque sembrado de esculturas metálicas de formas afiladas, agresivas. El taxi lo depositó frente a la entrada del establecimiento, y apenas pudo llevar la mano a su billetera cuando un hombre de unos cincuenta años se arrimó a la altura del conductor para abonarle el viaje. Las autoridades del liceo se habían apostado ante la verja, como en fila para un desfile, y el encargado de pagar, que resultó ser el rector, se ocupó de las presentaciones. Gabriel Tasson-Vasseur proyectó su fibra paternal en un hombretón de rostro afable, a quien una joven devoraba con los ojos, y no pudo reprimir una mueca cuando el primo lejano que llevaba su apellido resultó ser un tipo de corpulencia mediana, vestido de pana negra y aquejado de una corta barba que inequívocamente evocaba a todos esos ignotos diputados socialistas que invadieron las rampas de la Asamblea Nacional en junio de 1981, cuando la ola rosa que siguió a la elección de François Mitterrand. Se había preparado un *buffet* en honor al ilustre visitante en el comedor de los profesores, separado de la cantina de los alumnos por un flamante muro de perpiaño. Gabriel Tasson-Vasseur aceptó una taza de un café hecho a litros, y respondió con algunas amabilidades al discurso de bienvenida pronunciado por el inspector académico que había llegado entre tanto, bromeando incluso sobre el nombre dado a su cargo profesional. El encuentro con los alumnos tenía lugar en los locales del centro de documentación e información, una exposición realizada a partir de recortes de prensa y de solapas de libros repasaba la carrera literaria de Gabriel

Tasson-Vasseur. Algunas fotos lo mostraban en compañía de colegas académicos como Louis-Leprince-Ringuet, Edgar Faure o el conde d'Ormesson, y de todos los que contaban en el mundo de la edición y del movimiento de las ideas, François Giroud, Jean-Edern Hallier o François Nourissier. En pocas frases el primo peludo le erigió un pedestal y a él no le quedó más remedio que contestar a las preguntas que los estudiantes habían escrito en hojas arrancadas de los cuadernos, y que formularon cada cual en su turno después de haber levantado educadamente la mano. Ninguno de ellos intentó importunarlo, nadie emitió el menor reparo sobre sus libros, nadie lo sorprendió, y él les propinó las mismas obviedades, los mismos lugares comunes con que alimentaba a los periodistas que se contentaban con eso. El universo de la infancia, el paraíso perdido, la vigencia del tema provincial, el desgarro del exilio urbano, la busca de las raíces, la importancia vital de la casa materna... Reivindicó la influencia de Chardonne y refutó la de Mauriac, criticó a Sartre y elogió a Revel. Una hora más tarde, aceptó de buen grado dedicar los treinta ejemplares de bolsillo de *Murallas y milagros* y pretextó un comienzo de migraña para rechazar la invitación al cocktail ofrecido esta vez por la dirección del liceo Strauss-Kanakos. El primo, con los ojos humedecidos, se deshizo en agradecimientos desde la puerta del liceo hasta la del taxi, al cual pagó el viaje por anticipado basándose en el precio cobrado a la ida. El taxista, un indio de Madagascar, lo reconoció inmediatamente por haberlo visto en «Hablemos de cultura», en una emisión consagrada al retorno de la espiritualidad.

Sólo mucho más tarde, después de haber derrotado a los concursantes de «Preguntas para un campeón» y de haber vuelto a la primera planta de la vivienda donde vivía con su mujer, cuando Gabriel Tasson-Vasseur tomó conciencia del hecho que ya había marcado su vida. Golpeó el parqué con un pie y soltó un sonoro «mierda». La vibración se adueñó de la araña, los cuadros y los cubiertos que el ama de llaves alineaba sobre el buffet antes de disponerlos sobre la mesa. Adrienne Tasson-Vasseur posó bruscamente sobre sus rodillas el ejemplar de *Spectacles du Monde* en cuya lectura estaba ocupaba, para escrutar a su esposo con un aire de desconcierto que no había empleado desde la última noche de su viaje de bodas, hacía ya medio siglo, cuando Gabriel había intentado poseerla por detrás.

–Qué le ocurre, amigo mío. ¿Se siente mal?

Él se había dejado caer en un sillón que se encontraba oportunadamente ubicado, y hundió la cabeza entre sus manos.

–Es peor que eso... ¡Me he olvidado *Adornos de otoño* en el taxi!

El día había empezado mal para Freddy Moerdeley. Despertado con demora a raíz de un fallo electrónico en el radio-reloj que la secretaria de la Agencia de reinserción de Sarcelles no quiso tomar en cuenta, tuvo su propia dosis de espera hasta que la primera oleada de candidatos terminase de contestar el cuestionario de selección. Dos horas sentado en una mala silla, frente a un letrero que segundo tras segundo martilleaba la prohibición de recuperar el índice usual de nicotina en las venas, ¡justo lo que le hacía falta como ejercicio de concentración! El resultado fue desastroso y la misma secretaria, riendo mientras pronunciaba su apellido, le anunció que podía tomarse libre el resto del día. Freddy aprovechó, pues, para cobrar los honorarios de una misión efectuada el mes previo para Manpower y se obsequió a sí mismo un cuscús *sefarad* en la terraza del Restaurant tunecino del bulevar Camus. Con el vientre inflado de sémola y el cerebro flotando en el gris de La Marsa, aún no reunía el coraje suficiente para volver a la estación de Sarcelles-Saint-Brice. Su brazo se alzó al paso del primer taxi, un Mercedes rutilante con matrícula de París.

–Sendero de Engoulevents, en Deuil-la-Barre...

Fue mientras atravesaban Montmagny, a la altura del fortín de la Butte-Pinson, cuando posó el pie sobre un bolso de cuero, deslizado bajo el asiento del conductor. Lo desplazó hacia él, lentamente, y simulo que se anudaba los cordones para cogerlo y ponerlo a un lado. Se resistió al deseo de abrirlo y ocupó el último cuarto de hora de viaje imaginando lo que podía contener. El cierre relámpago se abrió en el ascensor y Freddy se encontró en el vestíbulo del tercero con el manuscrito en las manos. Lo arrojó sobre la cama e inspeccionó todo el bolso, cada una de sus costuras, en busca de sus sueños. Terminó por acostarse, la cabeza bien acomodada en la almohada, para descifrar el texto de *Adornos de otoño*. Le hicieron falta unos minutos para habituarse a la letra de insecto del escritor, a las tachaduras, a los añadidos y a las notas a pie de página, luego se instaló en la historia. Le había ocurrido varias veces empezar a escribir una novela pero jamás había sobrepasado la frontera del primer capítulo y sus proyectos abortados yacían en una maleta, en el sótano.

«Exactamente, –dijo–, y he de confesarle, señor Consejero, que en su debido momento sonreí débilmente.

El doctor Trifouel, por su parte, parecía igualmente inclinado a considerar que todo ello no era sino una mala broma, sin embargo se preguntaba, no falto de lógica, si no debía resistirse al primer impulso y examinar la situación de una manera objetiva o por lo menos retomar el caso desde el principio.»

La prosa del desconocido le impresionaba y se detuvo en expresiones que no recordaba haber leído con antelación como *«lo saludó con una cordialidad casi espuria»* o *«murmuró de nuevo –Claudia– él tenía el derecho de llamarla así, y además ese mismo nombre había sido acaso mancillado por tantos labios... Claudia, ¿qué tiene usted? ¿A qué le teme?»*. Todo le parecía fluir, y se autoconfesó que así le habría gustado escribir: el desconocido concordaba con su voz. Freddy se permitió una sola pausa para beber un café y escuchar el resultado de las carreras de caballos en Vincennes, luego y tras haber roto en pedazos los billetes reestableció contacto con el dilema moral de Jean d'Arouse, procurador del rey locamente enamorado de la hermosa Claudia, treinta años menor que él e hija del consejero Le Moal. Lo releyó una vez más, íntegramente, y apagó la luz de su mesa de noche a la hora en que circulaban los primeros autobuses.

Al día siguiente, almorzando en el salón trasero del *Martin-Bar*, con el periódico *Le Parisien* desplegado sobre la formica, su mirada fue atraída por un pequeño recuadro perdido en la columna de las noticias en tres líneas.

ACADÉMICO EXTRAVÍA SU MANUSCRITO

Gabriel Tasson-Vasseur, premio Albert de Bruynhes por Murallas y espejismos *ha perdido dentro de un taxi, entre París y Sarcelles, el único manuscrito de su novela en ciernes. A la persona que estuviese en posesión del documento, de importancia capital para el escritor, se le ruega que contacte con el secretario de la Academia Francesa. Discreción asegurada.*

De vuelta en su habitación, Freddy Moerdeley trató de estimar la suma con que el tal Tasson-Vasseur valoraba el pilón de hojas guardadas en su maletín. ¿Diez, veinte, treinta mil francos? Esas decenas de billetes, se dio cuenta, eran muy poco al lado de aquello que había sentido al imaginar su nombre impreso arriba del título de la obra. Tomó la novela y la disimuló bajo una montaña de ropa en el último cajón de la cómoda. Dejó pasar unos meses antes de sacarlo de su escondite y volver a copiarlo, tomando la precaución de cambiar los nombres de los personajes, de los lugares, y de modificar algunos giros. La Agencia de reinserción había acabado por proponerle una formación en gestión de *stocks* en un depósito de muebles para armar y él aburría a sus colegas, en la cantina, con su obra de arte en vías de construcción. Al principio se burlaron de él, pero admitieron su error una vez que Freddy confió el manuscrito que se había convertido en *El demonio de la medianoche* a una modesta secretaria del servicio de Atención al Cliente, que aceptó mecanografiarlo en su Macintosh durante las horas libres.

Al año exacto del hallazgo del maletín en el Mercedes, Freddy envió por correo cinco fotocopias de su plagio, destinadas a las editoriales que consideraba más conocidas. Fixot fue la primera en responder negativamente, luego fue el turno de Gallimard, Grasset, Edition Nº 1 y Laffont. Todas ponían de nuevo el manuscrito a su disposición, en los días y los horarios de atención. Le llevó un mes entero aceptar esta ola de rechazos injustificados y se negó a humillarse todavía más yendo a buscar los cinco juegos de fotocopias. La Rank-Xerox del servicio de Atención al Cliente le dedicó horas suplementarias al *Demonio de la medianoche* y hubo una segunda selección de editores, un poco menos gloriosa a juicio de Freddy. Las respuestas de Marabout, Denoël, Editions de Minuit y Seuil conformaron un bloque análogo al precedente. Otros ciento treinta y dos envíos tuvieron como saldo el mismo resultado, y ninguno de los lectores pareció interesarse demasiado en el texto como para forjar una nota crítica. Descorazonado, Freddy Moerdeley se resignó a escribir la dirección de La Pensée Universelle en el sobre número ciento cuarenta. La entusiasta carta de aceptación le fue entregada menos de una semana después por el cartero. Más que una carta se trataba de una suerte de circular personalizada con el agregado de su nombre, su dirección y el título del manuscrito en tres espacios previamente en blanco. El contrato adjunto estipulaba que la empresa se encargaría de efectuar una tirada de mil quinientos ejemplares de *El demonio de la medianoche* por la suma total de cuarenta y tres mil francos, impuestos excluidos, y que una campaña de publicidad en la radio, la televisión y la prensa escrita le aseguraría un éxito absoluto a la obra, así como un gran renombre a su autor. Freddy Moerdeley negoció un pago en cuotas y pronto pudo enseñarle a sus amigos, sus colegas, un volumen de doscientas treinta y dos páginas en cuya portada color crema se desplegaba su nombre. Llegó a vender unas decenas entre sus conocidos, luego se hartó. La tirada, casi en su totalidad, fue a sumarse a las novelas abortadas, en el sótano. Freddy se casó tres años más tarde con la modesta secretaria que había pasado del servicio de Atención al Cliente al de Quejas y Reclamos. Se instalaron en un piso de tres ambientes, en Montmagny, y tras de sí dejaron los pilones de *El demonio de la medianoche* que el nuevo inquilino se quitó de encima con la ayuda de un revendedor de Saint-Denis, quien a su turno los cedió a un saldista.

Gabriel Tasson-Vasseur había aceptado, como todos los meses, la invitación de su vecino de asiento en la Academia, el historiador Jean-François de Protais. Las cenas siempre estaban llenas de sorpresas, el anfitrión reconstruía los platos servidos en la Corte tres siglos atrás y los acompañaba de unos selectos vinos de los cuales no se elaboraban más de mil botellas anuales. Ritualmente, las veladas concluían en la *pequeña biblioteca de todo-lo-recibido.* Los invitados extraían al azar uno de los muchos libros que el dueño de casa había recibido desde su nombramiento en la Academia y se leían unos extractos también al azar. Los aplausos y las risas unánimes condenaban a la obra a alimentar el fuego que ardía en la chimenea. Este «todo-lo-recibido», como Protais lo había bautizado, ocupaba una habitación de cinco metros por diez, y los volúmenes se apilaban delante de los estantes colmados con dos hileras de libros. Gabriel fue designado, por sorteo, a ser el primero. Abrió el libro, anunció título y autor, luego recitó en voz alta la dedicatoria: *El alma tierna* de Jean Faitoux, «A Jean-François de Protais con mi inmensa admiración». Hojeó unas páginas y empezó:

«Dichosos los hombres que tienen la suerte –y la desgracia– de perder tempranamente a su progenitora. Ya que poseen, sin darse cuenta, una ventaja singular. El huérfano de madre se beneficia de un exceso de virilidad que espanta a algunas mujeres y atrae a otras. Desde luego yo preferiría a estas últimas...»

Los aplausos y las risas saludaron su intervención. *El alma tierna* fue presa de las llamas, después fue el turno de Charles Aubrigné, último miembro electo de la compañía, de unirse al rito. Su mano atrapó un pequeño volumen color crema.

–*El demonio de la medianoche* de Freddy Mierdaley... perdón, Moerdeley... Una edición por cuenta del autor... No veo dedicatoria.

Cerró los ojos para pasar las páginas y atacó el inicio de la página central.

«–Me permito –dijo– aprobar la justeza de su observación, pero persevero en la idea de que los profanos no se dan cabalmente cuenta de esto, diría inclusive (y en su voz se sintió asomar una pizca de fastidio) que el crimen –y hablo no del crimen general, sino del crimen con mayúsculas si se me lo permite– encuentra su absoluta justificación en el mito del Diablo rengo...»

Jean-François de Protais se partió de risa.

–Merece su apellido. ¡Es un genuino, o más bien una genuina Mierdaley!

Y fue al buscar a Gabriel Tasson-Vasseur en aras de su aprobación cuando advirtió el desconcierto que transmitían sus ojos fijos y su mandíbula abierta.

–¿Qué le ocurre, querido amigo?

El académico hizo un esfuerzo por recuperarse y tendió una mano hacia Aubrigné.

–Nada... Nada... ¿Podría pasarme este *Demonio de la medianoche?* Me gustaría echarle una ojeada.

Su mirada fue directo al inicio del epílogo.

«El ministro hizo pasar al procurador del rey a su despacho y le señaló una silla.»

«Sin duda –dijo– esta semejanza entre su poder, totalmente oficial, y el de nuestra asociación, rigurosamente clandestina, pueda impactarle a primera vista. Lo concibo. Pero más allá de lo que reclamamos...»

Jean-François de Protais lo observó por un instante.

–Entonces, ¿su veredicto?

Gabriel Tasson-Vasseur se incorporó, se acercó a la chimenea y, lleno de furia, arrojó sus *Adornos de otoño* en medio de las llamas.

LITURGIA

Marie-Hélène Lafon

El domingo por la mañana había que lavarle la espalda. Se encerraba en el baño. Era el padre, tenía derecho. Ellas estaban en la cocina, las hermanas, las tres. Oían los ruidos, el agua, la afeitadora eléctrica, los golpes sordos en la cañería cuando cerraba un grifo, los ligeros choques en el estante de vidrio, el frasco de loción para después de afeitar Menen, el peine. Él se afeitaba primero. Acto seguido entreabría la puerta. No se dejaba ver. Decía un nombre. Ellas sabían. Y acudían, cada una persuadida de ser llamada más seguido que las otras dos. Entraban en el cuerpo del cuarto de baño, en su aliento. El vaho era rosa, un rosa tierno y tibio como de ropa interior. A causa de las paredes. La madre había escogido el color en el momento de los trabajos de renovación. Las paredes eran grumosas como la piel de las gallinas muertas y desplumadas. El baño había sido acondicionado en una antigua alcoba. Era rectangular y no tenía ventanas. Lindaba con una pieza gemela que los de la casa llamaban el trastero. El trastero tenía un olor fuerte, el baño también. Tras esas dos puertas pintadas de amarillo del lado de la cocina, cada cual depositaba papeles, desperdicios, ropa sucia en un mueble de formica celeste, mugre de las manos, de los pies, de toda clase de máquinas, cada cual se despojaba.

Las huellas estaban ahí. Los remedios estaban ahí, para los animales en el trastero, para las personas en el cuarto de baño; las cosas esperaban, herramientas, semillas para el jardín, dos batas de la madre, su delantal de plástico, un secador de pelo, unas pantuflas endurecidas, vagamente viscosas en su interior a la altura de los dedos gordos, unos bigudíes color malva, palanganas, canastos, una escalerilla plegable, viejos calendarios del Crédit Agricole que la madre utilizaba para desmoldar las tartas, cajas de betún vacías y unos trapos manchados, la luz giratoria del tractor y unos guantes de baño estirados, rígidos en un rincón de la ducha.

Él no se lavaba sino con agua muy caliente. Era el padre. Tenía derecho a esa comodidad del agua muy caliente y abundante. Pagaba todo. Guardaba el dinero de la semana en una caja metálica que disponía en el armario al lado de los montones de pañuelos, los blancos de un lado, los de color del otro. El dinero para vivir estaba allí. Él decía cuando ellas sean grandes se quedarán conmigo porque yo tendré el dinero para comprarles vestidos. Todo era suyo, lo había pagado todo, la casa, el granero y el establo, las tierras, los animales. Había puesto allí todas sus fuerzas de hombre. Podía exigir que no lavaran los platos mientras estaba en el baño. Su bienestar habría disminuido por ello. Se habría puesto de mal humor. Y no había que malhumorarlo.

El vaho de los domingos por la mañana era rosado. Alrededor de las nueve, atravesaba la cocina, con su ropa limpia bajo el brazo, en camiseta de punto sin mangas, en *slip* y, desde noviembre hasta abril, en calzoncillos largos. Se encerraba.

Nunca olía mal. Y sin embargo, andaba metido todo el tiempo entre las rudas tareas, entre los animales, las vacas y los cerdos, entre el estiércol y el suero de la leche. No tenía olor. Iba y venía, activo y sólido, moldeado para no morir. Su cuerpo era corto y duro. Tenía un modo de usarlo que sus hijas desconocían. No debían conocerlo.

La ropa interior del padre estaba siempre planchada. Tenía que ser así. Cuando se hallaban en la pensión, Madame Chassagnoles venía dos veces por semana. Era una mujer vieja. La casa no estaba completamente limpia. Eso no le molestaba a nadie. Pero en cuanto a la ropa interior, él quería la perfección, lo terso, lo suave que se extiende sobre la piel, inmediatamente tibia. Madame Chassagnoles se esforzaba. Conocía al padre desde siempre. Sabía su historia y que había comprado la granja al primer golpe de vista, y pedido todo prestado, y todo devuelto y todo pagado, y que ahora todo era de él. Tenía derecho.

Decía que oía crecer la hierba y que era el último en hacerlo. Tenía su reino. Para la casa había querido cuarto de baño y calefacción central. Los tabiques habían sido demolidos. Vinieron unos hombres y lo hicieron todo, las paredes de ladrillos, el yeso, la fontanería, la electricidad, la pintura. La madre escogió el amarillo, el rosa. Para los azulejos también escogió: marrón rojizo en todas partes, en la cocina, el baño y el pasillo. No tocaron nada en la planta alta, pero en la habitación de las hijas, la habitación cuadrada arriba de la cocina, se instaló un radiador. Los trabajos se efectuaron en 1976, durante el verano de la gran sequía y de los Juegos Olímpicos de Montreal.

El padre tenía siempre frío en los pies. Dentro de las botas de goma llevaba unas medias de lana color borravino. Para el invierno había comprado unas botas forradas con piel. Le gustaba sentarse en el banco adosado a la mesa de la cocina, los pies en alto y apoyados sobre el borde del baño. De este modo, le daba la espalda a la televisión. Decía que iba a perecer por lo bajo. Se hacía curas de licor hepático Schoum. Era de un amarillo intenso. Las botellas vacías permanecían en el interior de la ducha, con su tapón, alineadas. Bebía directamente del pico. A la luz, los ojos del padre también eran amarillos. Fumaba sin hacer ruido un tabaco gris que liaba en unas hojas de papel job. Mantenía el cigarrillo apagado en la comisura de los labios. Lo olvidaba. Antes de entrar en el baño depositaba el cigarrillo en el reborde de un platito blanco que servía de cenicero. Al salir lo recogía.

Atravesaba la cocina, con sus ropas bajo el brazo, y ellas esperaban. Decía un nombre y ellas iban, una u otra. Entraban en la carne muerta del cuarto de baño, en su carne, mudas, fuera de sí, en servicio dominical a pedido. El padre estaba apoyado en el lavabo, los dos brazos extendidos. Brazos blancos arriba del codo. Exhibía así su espalda ligeramente curvada, espalda expuesta, brazos apenas visibles en el vaho lleno de humedad. El resto del cuerpo del padre no existía. Tan sólo el nacimiento de la nuca, morena, tempranamente obstruida de cabellos negros.

El guante estaba puesto al borde del lavabo. Preparado, enjabonado. Había que deslizar la mano, la derecha, en su interior, separar los dedos para extender la tela, y frotar, masajear la espalda del padre. Demorarse circularmente en los omóplatos y en el nacimiento de los riñones, justo encima del elástico del *slip* blanco. Estriar la hundida línea de la columna vertebral. Varias veces. Potente y delicadamente. Con cuidado de no invadir las axilas, zona reservada únicamente, como los flancos y las costillas, a la mano del padre. Con cuidado sobre todo de no presionar el guante que, aun repleto de agua muy caliente (ellas sentían la mordedura), no debía derramar gotas inoportunas que hubiesen corrido a lo largo de la espalda y se hubiesen perdido ahí donde el padre dejaba de tener un cuerpo.

La piel era blanca, lisa, sin vello, ahuecada bajo el omóplato izquierdo por un grumo oscuro con un halo marrón. Ellas hablaban, las tres, de la verruga, de la pústula, del chancro. Conocían las palabras. En el pensionado eran las mejores estudiantes, leían todos los libros. No decían el padre. Entre ellas, decían el viejo. En la vida diaria se las arreglaban, no lo llamaban.

Ante la ausencia de toda consigna paterna sobre esa parte bubónica de su cuerpo, de la que veían que él ignoraba la existencia, ellas le atribuían al grumo cierta susceptibilidad y unos potentes poderes. El más mínimo contacto con el agua, con el jabón o con el guante habría sin duda provocado una catástrofe y firmado la sentencia de muerte del padre, grabada en su piel. Estaba al alcance de sus manos, apenas perceptible, estaba a su alcance darle un impulso al tumor, precipitar la madurez del bubón que habría carcomido la carne blanca del padre, en el quejoso dolor y el incontenible hedor de las largas enfermedades púdicamente enmudecidas, labios repulgados, manos enlazadas, rodillas apretadas, en los avisos fúnebres de la Montagne Centre France.

Leían los avisos fúnebres. Esperaban. Vigilaban el bubón. Allí seguía. No lo tocaban. No secaban la espalda del padre. La enjuagaban, una sola vez, sucintamente, con otro guante preparado por él y puesto al otro lado del lavabo. Él no decía nada. Era el fin. Ellas sabían, la mano derecha mojada y la punta de los dedos arrugada. Él cerraba la puerta tras ellas, con llave.

La cocina estaba vacía. Las hermanas ya no estaban allí. Se recobraban. A solas, cada una en el transcurso de las cosas. El vaho de carne rosa las aureolaba por un instante. Ya no eran más de las nueve y media. Estarían listas para la misa de las diez.

LO INHABITABLE

Georges-Olivier Châteaureynaud

Lo relativo a la vivienda me apasiona. ¿Puede hablarse de una neurosis inmobiliaria? Pasé la mayor parte de mi infancia en lugares exiguos (mi madre nos subalquilaba el sótano, a mi padre y a mí), y conservo cierta propensión a la claustrofobia, no menos perjudicial que las tendencias agorafóbicas fruto de frecuentes estancias en casa de mis abuelos paternos, una pareja de aeronautas fanáticos. En cuanto al hogar de mis abuelos maternos, prefiero no hablar; el médico que trata mi asma me ha recomendado que piense en ello lo menos posible.

Sin jactarme, he conocido momentos difíciles. Si hiciera las cuentas, los malos momentos en mi vida de inquilino superan, con creces, a los buenos. Viví algún tiempo entre las llamas. Vamos, ¡exagero! Se trataba apenas de chispas, pero de cualquier modo era irritante. A toda hora del día o de la noche, unos esbozos de incendio estallaban en casa, aquí y allá, espontáneamente, detrás de un cuadro, al fondo de un armario, bajo una silla, en el canasto de la ropa sucia. Mis pertenencias no estaban nunca a salvo. ¿Cuántas veces me encontré sin un centavo, cuántas veces tuve que rehacer mis documentos porque mi billetera se había consumido con con mi abrigo mientras dormía? En el momento de vestirme hallaba mi pantalón quemado hasta las rodillas, mis camisas medio calcinadas, mis zapatos endurecidos y ampollados, mis guantes vueltos ceniza en el fondo del cajón donde los guardaba. Mi vida era un infierno en miniatura: olía permanentemente a chamusquina, ¡era la chamusquina en persona!

Sin embargo, como veréis, uno se acostumbra a todo: pasado el primer momento, fui haciendo una rutina en torno a estas catástrofes continuas. Guardaba siempre unos baldes llenos de agua y de arena, unas arpilleras y unas mantas mojadas, y cuando un foco de incendio se declaraba ya no llamaba a los bomberos, intervenía yo mismo con la eficacia de un experto. También podría haberme abstenido; los incendios acababan extinguiéndose solos. Cito como prueba esos que se originaban en mi ausencia, o de noche, y de los cuales encontraba rastros al volver o al despertarme: alfombras agujereadas, paredes o puertas teñidas de negro, muebles como mordidos por un roedor pronto saciado. Yo me limitaba a ventilar.

Podría haberme quejado ante el propietario. No me atrevía. Reclamar me repugna. ¡Qué orgullo absurdo! Pero ya me lo han dicho muchas veces, todo es absurdo en mí. Y, de hecho, si hubiera resuelto exponer mi situación ante el propietario, ¿no se habría valido de esto para actuar en mi perjuicio? Al fin y al cabo, ¿todas esas igniciones esporádicas eran imputables al piso, o a mí mismo, a mi inconsciente pirógeno? No creo tener el alma tan sulfurosa, pero esta clase de cosas no se demuestran fácilmente. Podríamos haber litigado largo rato, pero la justicia cuesta cara. Preferí callar e irme con el rabo ante las piernas, sin exigir mi saldo, es decir los tres meses de caución que tal vez hayan servido para poner de nuevo en condiciones el lugar, tras mi partida.

Una mañana, pues, me puse el menos dañado de mis trajes. Renuncié a meter en el bolsillo el cepillo de dientes casi nuevo, pero cuyo mango se había fundido la víspera. Con el primer pretexto que me vino a la mente le confié la llave a la portera y, no dejando a mis espaldas más que trozos de madera ennegrecida y andrajos carbonizados, me dirigí a paso firme hacia mi nueva vida. Una oportunidad se me había presentado: un chalet en las afueras, hecho de piedra molar, escondido tras una muralla de glicinas y lilas, ¡el sueño de mi vida!

Firmé sin verlo. Podrá decirse que eso fue prueba de una imprudente ligereza. Y no es erróneo. Pero temía que, por vacilar, otro me soplara el negocio. Ya que tenía todo el aspecto de ser una maravilla. Por el precio de un estudio, una verdadera casa de dos plantas y un sótano, rodeada de un jardín y situada a una distancia razonable de los comercios y del metro.

Se trataba en fin de aprovecharlo, y lo aproveché. Mi corazón, lo confieso, latía fuerte. Hasta entonces solamente había vivido en diminutos altillos, en estudios o en pequeños «dos ambientes». Allí había conocido innumerables sinsabores, y el episodio ya evocado constituye desde luego el ejemplo más ardiente, pero no el más atroz. Recuerdo que pasé un invierno en una vieja y embrujada *chambre de bonne* que atormentaba toda una familia de fantasmas. Cada noche, una *smala* infernal aparecía y discutía en croata en torno a mi cama. Por intermedio de la portera supe de qué se trataba. Algunos años atrás, mi habitación había sido ocupada por una familia de inmigrantes yugoslavos. Una noche de invierno, antes de acostarse, el padre se había olvidado de regular la estufa. Él mismo, su mujer, sus cuñados y sus tres hijos habían muerto asfixiados durante la noche. Quien nunca oyó a seis personas colmar de injurias a una séptima, en croata, al filo de la medianoche, en una pieza del tamaño de un pañuelo, ignora lo que son el ruido, el sueño y el impotente instinto homicida.

Un chalet, incluso embrujado, llegado el caso, era sin dudas otra cosa. Allá, uno tendría que poder aislarse, abstraerse de las fastidiosas querellas de las sombras. Y esto es lo que me decía mientras iba a mi nuevo domicilio con las manos en los bolsillos ya que me lo habían alquilado totalmente amueblado.

Llegué en poco tiempo: apenas diez minutos desde la estación del metro. De camino, pasé frente a muchas tiendas de bonito aspecto. Un reputado vendedor de vinos, una afable carnicería, una pastelería prometedora. Un buen pastel se distingue fácilmente de uno malo. Es más pequeño y más caro. Me frotaba las manos. Todo concordaba con los dichos de la mujer de la agencia.

Subí por la rue des Aubes, en adelante mi calle, y me detuve frente al número 40. Allí me despachurré de suerte. El tiempo estaba bellísimo. Una opulenta glicina (¡me enloquecen las glicinas!) decoraba la verja del jardín. Tras sus festones malva suave, se erguía la casa. No era Versalles, pero tenía un airecillo limpio, coqueto, de un gusto simple aunque eficaz. Al primer golpe de vista, uno sentía que la casa estaba cuidada, engalanada incluso. La pintura en los revestimientos de madera en las partes metálicas poseía el brillo y la densidad de lo nuevo. Abrí la puerta del jardín, la franqueé, la cerré a mis espaldas con un sentimiento de...

de triunfo sereno, supuse. Ya que, al no haber triunfado jamás en nada ni haber alcanzado genuinamente la serenidad carecía de elementos de comparación. Iba avanzando hacia mi hogar. Un sendero de gravilla blanca me alejaba del potencial lodo de la calle. Algunos pasos más, aún. Una escalera de hormigón, de una decena de peldaños, alicatada con cuidado, me elevaba por encima de los fangos de la vida. Una marquesina de vidrio esmerilado me protegía de las inclemencias del cielo, por cierto muy improbables en ese hermoso día de verano. Con una mano temblorosa abrí la puerta vidriera, dotada de una rejilla de fundición del más delicioso estilo pequeño burgués. La puerta giró silenciosamente sobre sus goznes. Mi pecho se infló de júbilo. Mi existencia, de aquí en adelante, sería a imagen y semejanza de cuanto ya había descubierto en esta casa y de cuanto esperaba aún descubrir. Aceitada. Enguatada. Afelpada. Acolchada. Suave... Sin nada que chirríe o que se resista. Yo marcharía, en el futuro, con el paso firme y tranquilo del hombre confiado en sí mismo. Yo también tendría mi territorio, mi terruño, mi santuario.

Entré. Busqué a tientas un interruptor eléctrico. Suspendí mi ademán.

Por supuesto, la electricidad debía de estar cortada. Primero había que reestablecer la corriente. Lo mujer de la agencia me lo había advertido. El contador estaba en el sótano pero habían dejado un candelero y unas cerillas, bien visibles, sobre la mesa del salón que se extendía a la izquierda, nada más entrar en el vestíbulo. Empujé la primera puerta a mi izquierda y penetré en una vasta pieza inundada de penumbra. En ese mismo instante un detalle me impactó. Lo olvidamos pronto de tanto frecuentarlas pero, aun ventiladas convenientemente y aseadas meticulosamente, las casas tienen un olor. Esta no tenía ninguno. Y sin embargo nada de lo que se baña en el tiempo, una alfombra, unas cortinas, incluso un mueble vacío o un barral metálico, es totalmente inerte, todo se impregna de las exhalaciones de lo que vive allí, y se degrada... Tropecé contra el borde de lo que, al tacto, me pareció una mesa de mármol, y me olvidé de todo el resto. ¡Coño, mármol! ¡Y yo que no había conocido hasta allí sino la formica y el hule! Casi me desmayo de pensar que posaría cada mañana mi taza de café con leche sobre una mesa de mármol. En la penumbra, un reflejo (cobrizo) capturó mi mirada. Era el dichoso candelero. A tientas descubrí, en la mesa, la caja con las cerillas. Raspé una y encendí la vela allí plantada. Las tinieblas se retiraron. El salón, que ocupaba casi la mitad de la superficie de la planta, tenía ventanas en dos de sus paredes. Abrí la más cercana y el día entró a raudales.

Giré hacia la mesa. Superficie y patas: en efecto era mármol. Y no sólo ella, sino también las sillas que la flanqueaban, cuidadosamente ordenadas, salvo una retirada a medias, como si alguien se hubiera sentado allí un rato para garabatear una nota y al irse hubiese olvidado reacomodarla. Se me había cortado la respiración. ¡Sillas de mármol! ¡Qué refinamiento! Pero cuán frágiles debían de ser esos gráciles pies, esos delgados cilindros de mármol gris delicadamente veteados de blanco.

Me aproximé a la silla mal puesta y con la palma acaricié su respaldo liso y frío. Retiré la mano y di un paso atrás. ¿Tendría la osadía yo, tan torpe, de usar estas maravillas, de sentarme en ellas, de moverlas a riesgo de chocarlas, volcarlas, romperlas? Además, tenían que ser pesadas. Me arrimé más y, tímidamente, intenté sopesar la que ya había tocado. La silla se resistió a mi esfuerzo. Sorprendido, volví a intentarlo con las dos manos, sin mayor éxito. Por más que me afirmara bien, que tensara mis músculos, que emitiera unos «ay» de desenterrador, no hubo caso. Repetí el experimento con la silla vecina, después con otra, y otra más. En vano. Las ocho sillas formaban un bloque con la losa de mármol que recubría el suelo. Imposible levantarlas o desplazarlas ni siquiera un centímetro. Asombrado por esta aberración, me arrodillé para examinar de cerca la juntura de los pies y la losa. Hasta donde pude advertir, no había juntura. Se pasaba del suelo a las sillas sin solución de continuidad.

Una inmensa perplejidad me invadió. Me senté en la silla retirada a medias, sobre un glúteo, ya que esta se hallaba muy cerca de la mesa para que uno pudiera instalarse a gusto, y paseé mi mirada alrededor. Sólo entonces tomé conciencia de la extrema rareza del lugar en que me hallaba. Aparte de la mesa y sus dos filas de sillas, el mobiliario se componía de un gran aparador, un sofá, dos sillones y una mesa baja. Con excepción de los vidrios, de un espejo y de escasos accesorios como los pestillos de la puerta y de las ventanas, todo lo que contenía la pieza era de mármol gris.

Me incorporé y fui al sofá. Era menos un mueble que una escultura representando un mueble. El artista se las había ingeniado para imitar las pequeñas particularidades o imperfecciones que habría presentado un verdadero sofá: el ligero deterioro de los cojines, la pátina más acentuada en ciertos puntos, las huellas casi invisibles de la afilada pata de un gato asustado por la entrada súbita de un niño... Me agaché y constaté que el sofá también estaba unido al suelo. En realidad, no había una mesa más unas sillas más un sofá más dos sillones etcétera, sino una sola «escultura». El aparador no era otra cosa que una excrecencia de la losa madre, y cuando quise alzar un jarrón apoyado en la repisa de la chimenea, este no se movió ni un ápice. Se «aferraba» a un soporte como el muñón de una rama cortada se aferra al árbol, o como un dedo a su mano. El excéntrico absoluto que había construido esta casa había obtenido del mismo bloque enorme (con suma paciencia) la loza, la chimenea, el jarrón y el resto de las cosas. La habitación entera, la casa tal vez, formaba un todo recubierto en su exterior de piedra molar, madera y tejas.

Después de restablecer la electricidad y de visitar todas las habitaciones, volví al salón y me planté ante el espejo de encima de la chimenea. Mi aspecto era tan contrito que no pude evitar sacarme la lengua. ¡Vaya suerte la mía! Había alquilado una obra de arte única en el mundo. Pero yo necesitaba tan sólo una vivienda, y el arte es inhabitable. Explorando el chalet había descubierto una cocina digna de un príncipe megalómano, provista de un horno y de un fregadero que podría haber firmado Miguel Angel, y un cuarto de baño y un dormitorio que eran harina del mismo costal. Sobre un colchón desnudo, una pila de sábanas y de mantas esperaba al predestinado héroe, capaz de desplegarlas y de hacer la cama. En el sótano, cerca de una caldera pintada en *trompe l'oeil,* el mango de una pala para el carbón sobresalía de un montón de bolas incombustibles. Bajo el tejado, la buhardilla estaba repleta de viejos juguetes artísticamente desencajados, maniquíes de costura con las espaldas picadas de falsos pinchazos de alfileres, maletas entreabiertas sobre un desbarajuste de tesoros. Restos inamovibles. Todo en gris claro, veteado de blanco, y frío como la muerte.

Aguanté tres días en mi casa de mármol. Me había comprado un plumón y dormía en el suelo. Comía todo frío y no me lavaba, ya que nada funcionaba allí, salvo las luces. Incluso las lámparas, a través de las bombillas y las copelas de mármol ahuecado, no emitían más que una luz sórdida y deprimente.

El tercer día, al despertarme, me pareció que mi piel había cobrado un tinte grisáceo, con vetas blancas, marmóreo, por expresarlo de algún modo. Suelo decirme que soy muy impresionable, pero ¿qué hacer? Corrí al jardín. A la luz diurna no parecía más que un jardín. Y yo había vuelto a ser como antes. ¿Algo paliducho quizá? Como aquejado de un leve principio de anemia. Sentí, de golpe, ansias de sol. De arena ardiente. De agua azul. De pieles bronceadas. De chozas bajo los árboles. Una choza, eso sí que sería estupendo, me dije. Una choza. Una casa de paja y ramas, abierta a todos los vientos, a todas las brisas. Una casa ruidosa de insectos, con lagartijas en los muros y gallinas entre tus piernas y un perro que ronca bajo la mesa. Ah, ¡qué buena vida se debe llevar en una choza! Sin problemas, sin cuidados, sin mantenimiento... Cuando la paja de la choza se pudre, se esquiva el fuego y se construye otra un poco más lejos. Los amigos vienen a brindarte su ayuda y, terminado el trabajo, se bebe, se canta, se baila...

Esa misma tarde, al salir de la agencia de viajes, fui a devolver las llaves del chalet.

Me costó la garantía prevista en el contrato. Haga lo que haga, siempre me despluman. ¡Bah! Yo tenía la cabeza llena de chozas, de pareos y de collares de flores. Un día, a lo mejor, os contaré la historia de mi choza y del tifón Julia.

ARIANE

J. M. G. Le Clézio

A orillas de río seco está el barrio de las viviendas sociales. Es una ciudad en sí misma, con decenas de edificios, grandes precipicios de hormigón gris erguidos sobre las explanadas de alquitrán, en medio del paisaje de colinas de piedra, de rutas, de puentes, con el polvoriento lecho de guijarros del río, y la planta incineradora que deja flotar su nube agria y pesada por encima del valle. Aquí se está lejos del mar, lejos de la ciudad, lejos de la libertad, lejos incluso del aire, a causa de la humareda de la planta de incineración, y lejos de los hombres, porque es un barrio que se asemeja a una ciudad abandonada. ¿Es posible que en realidad no haya nadie, nadie en estos grandes edificios grises con millares de ventanas rectangulares, nadie en estas escaleras interiores, en estos ascensores, y nadie tampoco en estos grandes aparcamientos donde los coches están detenidos? ¿Es posible que estas ventanas y estas puertas estén ciegas, tapiadas, y que ya nadie pueda salir de estos muros, de estos apartamentos, de estos sótanos? Pero aquellos que van y vienen entre los grandes muros grises, hombres, mujeres, niños, perros, ¿no son acaso como fantasmas sin sombra, inalcanzables, inhallables, con los ojos vacíos, perdidos en el espacio sin calles, y nunca pueden conocerse, nunca encontrarse, como si no tuvieran un verdadero nombre?

Cada tanto pasa una sombra huidiza entre los muros blancos. A veces se ve el cielo, pese a la bruma, pese a la espesa nube que baja de la chimenea de la planta incineradora, al oeste. Se ven aviones también, por un instante escapados de los nubarrones, dibujando tras sus alas refulgentes unos largos filamentos algodonosos.

Pero no hay aves por aquí, ni moscas, ni saltamontes. En ocasiones hay una mariquita perdida en los grandes aparcamientos de cemento. Anda por el suelo, después intenta escapar, volando pesadamente hacia los macetones de flores llenos de tierra cuarteada, en los que hay un geranio quemado.

Algunas veces, también hay niños . Detenidos ante la puerta de los inmuebles, han arrojado al suelo sus maletines, y juegan, gritan, se pelean. Pero esto no dura mucho. Vuelven a entrar en los alvéolos, entre las paredes, y se oyen las voces de los televisores que gruñen, que ríen con sarcasmo, que canturrean. O bien, de golpe, cuando cae la noche, hay un ruido desgarrado de ciclomotores, y la tropilla pasa a toda velocidad zigzagueando a través de los aparcamientos, girando en torno a los postes eléctricos. Diez, veinte motos quizás, y todos los muchachos llevan máscaras de plexiglás, chaquetas de imitación cuero, cascos anaranjados o tricolores. El ruido de sus máquinas repercute en los muros de cemento, ruge en los corredores, en los túneles, hace ladrar a algunos perros. Luego se van, de repente, y se oye que el ruido de sus motores decrece, que se apaga entre otros muros, al fondo de otras galerías subterráneas.

Ciertas veces van más allá de la planta de incineración, hacia lo alto del pequeño valle de Ariane, o bien remontan las curvas que llevan al cementerio, trepan la cuesta de Lauvette. Es un ruido extraño como el de una manada de bestias salvajes, que grita y ruge en la noche, que hace vibrar unos ecos en el fondo de los oscuros precipicios. Es un ruido que hace nacer el miedo, porque proviene de muchos sitios a la vez, incomprensible, casi sobrenatural.

De noche, el aire frío sopla en los edificios y en los aparcamientos, como si lo hiciera en unas mesetas de piedra. El cielo es negro, sin estrellas, sin luna, con la luz cegadora de los grandes postes de hierro que deja sus huellas en el alquitrán. De día, la luz del sol refulge en los muros color cemento, presa de unos cargados nubarrones, y el silencio en el interior de esta luz no tiene fin. Hay reflejos, hay sombras. Hay desfiles de coches por la gran ruta que bordea el río, y, más abajo, por el puente de la autopista. Los motores vibran y rugen sin pausa, entre los altos precipicios. Camiones de hormigoneras, camiones con madera, con gasolina, con ladrillos, camiones con carne o con leche. Los coches van hacia los supermercados, o de allí vuelven, ciegos, como si en rigor no los condujera nadie.

Hoy, lunes de Pascua, el gran barrio de las viviendas sociales se encuentra aún más vacío, más vasto aún. El cielo está gris, hay un frío viento que sopla a lo largo del río seco, que sube entre los muros de los diques, entre los altos precipicios de los edificios. La luz blanca de las nubes brilla en los ventanales, hasta el décimo sexto piso, produce como unos destellos que se mueven, unos reflejos. Hay sombras pálidas en los grandes aparcamientos vacíos.

Los hombres hoy no están aquí, han desaparecido. No hay sino las carcasas de los coches detenidos, similares a aquellas de los grandes cementerios de automóviles, allí, un poco más arriba del río. Es su día, un día de carcasas abandonadas, sin motores, sin puertas, sin ruedas, faros destrozados, espejos rotos, capós abiertos que muestran el negro vacío del que fueron arrancados.

En las calles vacías hay algunos niños que corren tras un balón blanco y negro, hay algunas mujeres que se detuvieron al borde de la acera y que conversan. A veces hay música. Sale de una ventana totalmente abierta a pesar del viento frío: una música pesada, de cadencia lenta, con una extraña voz aguda con un balido interminable, y las manos de los hombres que aplauden al compás. ¿Para quién canta esta voz? El silencio, más allá, ¡es tan grande, tan extenso! El silencio viene de las montañas ralas, cuyas curvas se pierden en las nubes, el silencio viene de las rutas, del lecho del río seco, y, del otro lado, a lo lejos, de la gran autopista sobre pilares gigantes. Es un silencio áspero y frío, un rechinante silencio de polvo de cemento, espeso como la sombría humareda que sale de las chimeneas de la usina de incineración. Es un silencio que trasciende los rugidos de los motores. En la cima de las colinas, del lado del cementerio, vive este silencio, mezclado con el olor agrio de la humareda de la planta incineradora, y desciende pesadamente sobre el fondo del valle, sobre el aparcamiento de las viviendas sociales, hasta el fondo de los sótanos sin luz.

Por aquí camina Christine, a lo largo de los grandes edificios, sin mirar, sin detenerse. Es alta y esbelta, sobre todo con sus jeans de pana negra y sus botas cortas de tacones muy altos. Lleva también una chaqueta de plástico blanco sobre un jersey rayado, rojo y blanco. Su cabello rubio está atado en una coleta, y tiene unos aros de metal dorado que pinzan los lóbulos de sus orejas. El viento frío barre la calle sin fin. Venido del mar, de allí, del otro lado de las colinas, remonta el valle del río levantando polvareda. Todavía es un viento de invierno, y Christine se acurruca en su chaqueta de plástico, se cierra el cuello con la mano derecha mientras hunde la mano izquierda en el bolsillo trasero del pantalón, contra su nalga.

Hay tanto silencio que puede oír el ruido de sus tacones resonando en todos los laberintos de los aparcamientos, en todas las paredes de los grandes edificios, y aun en el fondo de los sótanos. Pero es quizás el frío lo que le impide oír otra cosa. Sus tacones golpean contra el cemento de la acera, haciendo un ruido metálico, duro, insistente, que resuena con creces en el interior de su cuerpo, en su cabeza.

Mientras camina, cada tanto intenta verse en los vidrios de las camionetas detenidas o bien en los retrovisores externos de los grandes camiones. Intenta verse, con un poco de ansiedad, inclinando la cabeza, frunciendo los ojos. En los espejitos convexos, como entre una bruma azul, ve entonces su silueta blanca y negra que avanza como si danzase, piernas largas, brazos largos, cuerpo ensanchado en las caderas y carita de cabeza de alfiler enmarcada por el cabello color de oro. Luego el rostro se agranda, engorda, hasta deformarse, nariz larga, ojos negros separados como los de un pescado, boca color cereza que sonríe y muestra unos dientes sumamente blancos. En otros tiempos, Christine se habría reído de su reflejo deformado. Pero ahora la ansiedad es demasiado poderosa, y trata de rehacer su verdadero rostro, su verdadero cuerpo, a partir de la imagen grotesca, cerrando los ojos no bien deja atrás el espejo.

No sabe por qué necesita tanto verse. Lo lleva dentro, golpea y hace daño casi, y cuando ha andado largo rato por la calle sin encontrar en los escaparates sino su reflejo gris, o su cara deformada por los retrovisores de los coches, entonces busca un espejo, un espejo verdadero, no importa dónde, en la entrada de un edificio, en los aseos de un bar, frente a una peluquería. Va hacia él, se detiene, y se observa largamente, ávidamente, sin moverse, casi sin respirar, sus ojos fijos hasta el vértigo en los ojos de la otra.

Debido a las nubes grises, no se ve el sol , pero Christine intuye que debe ser tarde. La noche va a llegar ahora, no muy veloz, remontando el valle del río, con el viento. Pero Christine no quiere volver a casa. Su casa es un piso de estrechas paredes manchadas, con el fuerte olor de la cocina que la asquea, el ruido del televisor, los gritos de los vecinos, los ruidos de la vajilla, ruidos que retumban en las escaleras de cemento, la puerta del ascensor que golpea y chirría en cada planta. Christine piensa en su padre, su padre sentado frente al televisor, las mejillas mal afeitadas, los cabellos hirsutos; piensa en su hermana menor, en su pálido rostro ojeroso, en su mirada huidiza de niñita de diez años. Tanto piensa en ella que frunce las cejas y murmura unas palabras, sin saber bien qué, quizá un insulto, o acaso tan sólo «vete», así nomás. Piensa además en su madre, con el rostro cansado, el cabello teñido, los miembros y el vientre pesados, su silencio también pesado, como si un montón de cosas se le hubiesen acumulado allí, igual que la grasa.

Christine no piensa realmente en todo esto, pero lo percibe muy deprisa, imágenes, olores, sonidos que se empujan con tanta fuerza y precipitación que todo oculta por un instante el paisaje de los grandes aparcamientos y de los muros de trescientas ventanas idénticas. Entonces ella hace un alto, cierra los ojos, enfrentada a ese país de excesiva blancura, a esa capa de sal, de nieve.

El viento frío la hace reaccionar. Delante de ella, al pie del edificio gigante, está el Milk Bar. Allí es donde le gusta ir a Christine para matar el tiempo cuando sale de la escuela, antes de volver al estrecho piso donde están su padre, su madre silenciosa y la mirada huidiza de su hermana. Sube los escalones alegremente, empuja la puerta de vidrio, huele con placer el olor que tanto ama, olor a vainilla, a café y a cigarrillo. Hoy no hay nadie en el Milk Bar. Todos se han ido a pasear a la ciudad, al borde del mar, o bien en moto a la montaña. Tan sólo está el dueño, un hombre gordo con gafas que está sentado tras el mostrador y lee el periódico. Inclinado sobre el periódico, lee cada línea con tanto detenimiento que ni siquiera presta atención a la entrada de Christine, ni a que se ha sentado cerca de la ventana, en una mesa de material plástico.

¿Qué puede estar leyendo con semejante atención? Christine ni piensa en ello, le da lo mismo. Le gusta estar allí sentada, los dos codos sobre la mesa de plástico, mirando afuera, a través del vidrio.

Ahora la noche está cayendo. Por la calle vacía, bajo el cielo gris, la sombra avanza lentamente, se instala. De vez en cuando hay alguien que pasa, a pie, y que mira hacia el interior del Milk Bar, y prosigue su camino. A Christine le gustaría saber la hora, pero no se anima a preguntársela al dueño que continúa leyendo el diario, palabra por palabra, como si no alcanzara a entender lo que lee.

Y después ha pasado Cathie por delante del Milk Bar, y ha reconocido a Christine. Hizo grandes señas y entró muy deprisa en el café, hablando tan alto que hasta el dueño se despertó. Cathie es más alta y más fuerte que Christine, con el rostro lleno de pecas y el cabello negro ondulado. También es mayor, acaso dieciséis o diecisiete años, pero Chrisitine logra dar la impresión de tener su misma edad, gracias a la ropa, a sus tacones altos y al maquillaje en sus ojos. El dueño del Milk Bar se ha incorporado de su taburete y ha venido hasta donde están las dos chicas.

–¿Qué vais a tomar?

–Un café –dice Cathie.

–Y uno con leche para mí –dice Christine.

El dueño las siguió mirando, a la espera de que dijesen otra cosa. Luego masculló:

–Está bien, pero cierro en diez minutos.

Cathie es siempre así: habla mucho, muy deprisa, haciendo demasiados gestos, y esto tiene un poco harta a Christine, máxime porque no ha comido nada desde la mañana y ha andado todo el día afuera, por las calles vacías, por las plazas, al borde del mar. Y encima Cathie habla mal de todo el mundo, es una verdadera lengua viperina, y esto también la marea, como un tiovivo que va demasiado rápido.

Por suerte afuera ya es de noche. A pesar de su advertencia, el dueño del Milk Bar no parece con ganas de cerrar. Sigue leyendo su diario, aunque con menor atención, y a ratos alza la cabeza para contemplar a las chicas. Christine echa una mirada y sorprende los ojos brillantes clavados en ella. Se ruboriza y bruscamente gira la cabeza hacia al vidrio.

–Ven –le dice de repente a Cathie–. Vámonos.

Y sin demora deja en la mesa de plástico el pago de su café con leche y sale. Cathie la alcanza al pie de los escalones.

–¿Qué te ocurre? ¿Quieres volver?

–No, nada –dice Christine. Pero ahora que está afuera advierte que otra vez hay que pensar en el piso con la pared manchada, en la televisión que habla sola, en el rostro contrariado de su padre, en el cuerpo fatigado de su madre, en la mirada de su hermana.

–Bueno, venga, adiós, me voy a casa –dice Cathie. De pronto parece aburrida. Christine quisiera retenerla y hace un gesto.

–Oye...

Pero no sabe qué decir. La noche es fría, el viento sopla. Cathie alza el cuello de su chaqueta azul, hace un gesto con la mano y se va corriendo. Christine la mira entrar en el edificio de enfrente, encender la luz. Espera por un instante, frente a una puerta en la planta baja, luego la puerta se abre, vuelve a cerrarse. Cathie ha desaparecido.

Christine da unos pasos por la calle, hasta la esquina del aparcamiento. Se refugia contra el muro, en una mancha de sombra. El frío de la noche la estremece, luego del calor perfumado del Milk Bar. Ante sus ojos, el cielo gris se ha vuelto rosa y luminoso del lado de la ciudad, con la pesada columna que aún se arrastra sobre las chimeneas de la planta incineradora. No hay ruido, es decir, ningún ruido significativo. Tan sólo el sordo rugido de los coches y de los camiones, allí, en el puente de la autopista, y los sonidos de los hombres y de los niños en los pisos, o las voces nasales de los televisores.

No quiere volver a la casa de sus padres, todavía no. Quiere quedarse allí, inmóvil, con la espalda apoyada contra el frío muro, contemplando la noche, el cielo gris e indeciso, los grandes muros blancos donde hay cientos de ventanas iluminadas. Y los coches inmóviles en el aparcamiento, bajo el halo de los faroles, los camiones detenidos en la calle, las luces de la ciudad que se encienden como pálidas estrellas. Quiere oír los ruidos confusos de la vida en los pisos, oírlos todos a la vez, y sentir el frío de la noche. Pasa un buen rato así, inmóvil contra el muro, hasta que el frío le anquilosa las piernas, los brazos, los hombros. Las gotas de humedad brillan en su chaqueta de plástico blanco, en sus botas.

Entonces vuelve a caminar, por las calles vacías, dando una vuelta por los bloques de edificios. No sabe muy bien a dónde va. Primero rumbo a la escuela, luego atraviesa el pequeño jardín de infancia que hay más abajo y sube por las callejuelas de casitas destartaladas con jardines pelados. Hace ladrar a los pequeños perros contra las rejas, y hay unos gatos negros que corren bajo los coches detenidos, delante de ella.

Cuando se topa con los bloques de edificios, como gigantes parados en medio de los terrenos y los aparcamientos, siente otra vez la luz fría y húmeda de los faroles, y eso la estremece. Entonces el ruido de las motocicletas se acerca muy deprisa hacia ella. Lo oye estallar entre los edificios, sin saber exactamentede dónde viene. ¿A dónde ir? Christine querría esconderse, porque está parada en medio de la gran calle y la luz de los faroles la ilumina brutalmente. Echa a correr al edificio más cercano, y pega su espalda contra el muro en el instante en que el grupo de los motociclistas pasa a toda velocidad por la calle. Son seis o siete, enmascarados por sus cascos, vestidos de vinilo negro, con unas motos Trial llenas de barro. Christine los mira dar vueltas a la rotonda, escucha el ruido de los motores que se aleja, que se apaga.

De repente, siente miedo. No sabe bien de qué tiene miedo, pero ahí está como un escalofrío, y también a su alrededor, en el silencio de las grandes calles vacías, de los edificios gigantes con cientos, miles de ventanas, en la luz anaranjada de los faroles, en el frío viento que trepa por el valle portando el agrio olor de la humareda y el rumor de la autopista. Es un miedo extraño, impreciso, que atenaza la garganta de Christine y que pese al frío empapa de sudor su espalda y las palmas de sus manos.

Ahora camina rápidamente , tratando de no pensar en nada. Sin embargo, de súbito, se acuerda de la mirada penetrante del dueño del Milk Bar y su corazón se pone a latir más deprisa, como si todavía sintiese esa mirada posada en ella, espiándola desde la sombra. Quizás él esté allí, realmente. Recuerda que iba a cerrar el local y que la miró cuando, recién salida del Milk Bar, estaba parada en la calle.

Y de repente, otra vez, están aquí los motociclistas. En esta ocasión no los oyó venir, llegaron al mismo tiempo que el estruendo de sus motos. Puede que vinieran a muy escasa velocidad, dando vueltas y zigzagueando en el interior del aparcamiento del edificio, escurriéndose entre los coches quietos para sorprenderla.

Ahora Christine está inmóvil en el aparcamiento, bajo la luz amarilla del farol que refulge en su cabello rubio, en su chaqueta de plástico blanco y en sus botas, mientras las motos giran lentamente a su alrededor. Los motociclistas tienen los rostros enmascarados por las viseras de sus cascos, y ninguno de ellos parece mirarla, simplemente giran a su alrededor, dando unos golpecillos de acelerador que hacen sobresaltar sus motos y temblar sus focos y sus luces rojas. A medida que giran, van cerrando el círculo, y ahora pasan tan cerca que ella puede sentir el soplo caliente de los tubos de escape. Christine no se mueve de donde está, el corazón agitado, las piernas muy débiles. Mira a su alrededor los grandes edificios, ¡pero los muros son tan altos, y hay tantas ventanas iluminadas, y en el gran aparcamiento hay tantos coches detenidos, con las carcasas llenas de reflejos! El ruido lento y profundo de las motos que giran hace vibrar el suelo, hace vibrar todo su cuerpo, la aturde. Siente sus piernas temblar y una especie de mareo se ampara de ella. Entonces, de súbito, con un grito, toma impulso y echa a correr lo más velozmente que puede, en línea recta, adelante, cruzando el aparcamiento.

Pero las motos siguen allí, detrás, luego giran en torno a los coches aparcados, y regresan, cegándola con sus focos, dando unos golpecillos de acelerador que hacen resonar los motores.

Christine no se detiene. Atraviesa un aparcamiento, luego corre por las grandes avenidas, flanquea los muros de los edificios, cruza los terraplenes cubiertos de hierba rala. Corre tan deprisa que ya no puede casi respirar, y el viento frío hace rodar dos lágrimas por sus mejillas. A fuerza de tanto correr, ya no sabe dónde está, sólo ve a su alrededor, hasta donde alcanza su vista, los grandes muros blancos de los edificios todos iguales, las cien, las mil ventanas idénticas, los aparcamientos que se abren, con sus coches detenidos, las calles iluminadas por los faroles naranjas, los terraplenes con pasto sucio. Después, así como vinieron, los motociclistas desaparecen. De nuevo, el silencio pesado, el frío, el vacío se adueñan de todo y Christine puede otra vez oír el lejano rumor de los coches que transitan allí, por el gran puente que cruza el río.

Comprende en que lugar se encuentra. Sin saber cómo, sus piernas al correr la condujeron justo frente al edificio donde vive. Alza los ojos, busca las ventanas del apartamento donde están su padre, su madre y su hermanita. Hace ya cinco meses que viven aquí, y sin embargo siempre debe mirar durante un rato así de largo antes de reconocer las tres ventanas, al lado de aquella donde hay unas macetas con geranios. Las dos ventanas de la gran habitación están iluminadas porque es allí donde su padre se ha sentado en su sillón, comiendo mientras mira la televisión. Ahora Christine está realmente cansada, y casi alegre ante la perspectiva de volver al estrecho apartamento, de sentir el pesado olor de la comida, de oír la voz nasal del televisor.

Sube los escalones, empuja la puerta de entrada al inmueble, pulsa el interruptor de luz con temporizador. Entonces los ve. Están allí y la esperan, todos, con sus chaquetas de vinilo negro y sus cascos con las viseras bajas que refulgen bajo la luz de la escalera interior.

No puede gritar porque algo se bloquea en su garganta, y sus piernas no se pueden mover más. Ellos se han aproximado. Uno, el alto con chaqueta de aviador y casco naranja con la visera en plexiglás oscuro, se arrima y la coge del brazo. Ella busca soltarse, abre la boca, va a gritar. Entonces él la golpea, con todas sus fuerzas, con su puño, en el vientre, allí donde el cuerpo se pliega en dos, y la respiración se corta. La empujan hasta la puerta al lado del ascensor, y bajan por la escalera de cemento que resuena. Se oyen los ruidos de los televisores de la planta baja, los ruidos de la vajilla, los gritos de los niños. Bajo tierra, la luz es gris, viene de dos o tres bombillas en medio de los caños y los conductos de evacuación. Los motociclistas avanzan con prisa, empujan el cuerpo de Christine, la cargan casi. No dicen nada. Abren una puerta. Es un sótano, apenas cuatro o cinco metros cuadrados, cemento gris, unas cajas y, en el suelo, un viejo colchón. Arrojan al suelo a Christine, y uno de los motociclistas enciende una vela, en el fondo del sótano, en equilibrio sobre un plato viejo. El sótano es tan pequeño que están de pie, unos contra otros. Afuera, la luz de los pasillos se apaga, no queda sino el fulgor de la vela que vacila. Christine recobra aliento. Las lágrimas caen por sus mejillas, embadurnan el rímel y la base de maquillaje. Sus dientes castañetean.

–Desvístete.

La voz del alto ha resonado en el estrecho sótano, una voz recia y ronca que Christine no conoce. Como no se mueve, él se le acerca, tira de su chaqueta, le desgarra el cuello. Entonces Christine siente miedo y piensa en sus ropas que serán desgarradas. Se quita la chaqueta, la deja en el suelo. Va al otro lado del sótano, cerca de la vela, se quita su jersey rayado, se desata las botas, hace deslizar su pantalón, luego la braguita y el sujetador. Desnuda tirita en el frío del sótano, extenuada y delgaducha, sus dientes entrechocan tan fuerte que sabe que no podrá ni gritar; llora un poco gimoteando, y las lágrimas siguen surcando sus mejillas de rímel y de sombra de ojos. Luego el joven se acerca, se quita el cinturón. La empuja sobre el colchón y se le arroja encima, sin despojarse del casco. Los otros se aproximan y ella ve sus rostros inclinados, siente su aliento en la piel. Interminablemente, uno tras otro, la abren, la desgarran, y el dolor es tan grande que no siente más frío ni más miedo, sino tan sólo el vértigo que la horada, que la aplasta, más allá del vientre, más abajo, como si el colchón mojado cayese al fondo de un pozo helado y negro, destrozándole los riñones. Esto dura tanto tiempo que no sabe ya lo que pasó. Cada vez que un joven entra en ella, forzando, el dolor crece en su cuerpo y la arrastra al fondo del pozo. Las manos aplastan sus puños contra el suelo, abren sus piernas. Las bocas se aplican contra su boca, muerden sus senos, asfixian su respiración.

Luego la vela tiembla un poco más y se ahoga en su cera. Entonces todo se detiene. Hay un silencio, y el frío es tan terrible que Christine se hace un ovillo en el colchón, se desvanece.

Cuando vuelve la luz eléctrica, ve la puerta del sótano abierta y a los motociclistas de pie en el pasillo. Sabe que se terminó. Se incorpora, se viste, sale del sótano tambaleando. Su vientre arde y sangra, sus labios están hinchados, entumecidos. Las lágrimas se han secado en sus mejillas, con el rímel y la sombra.

Ellos la empujan, hacia delante, por la escalera de cemento. En la entrada solamente queda el alto, con su casco y su chaqueta de aviador. Antes de irse, se agacha de cara a Christine, su mano se posa en el cuello.

–Hijo de puta –dice Christine, y su voz tiembla de furia y de temor. Pero él presiona una mano contra su hombro.

–Si hablas, te matamos.

Christine se sienta afuera, en los peldaños de la escalinata. Pasa buen rato allí, sin moverse, para que el frío la vuelva insensible, para que la negrura de la noche la envuelva y calme el dolor de su vientre y los dolores en sus labios. Luego busca, por el aparcamiento, un automóvil detenido que tenga un gran retrovisor externo, y lentamente, con la aplicación de un niña, seca el rímel de sus ojos y esparce el maquillaje por sus mejillas azuladas.

LA DECLARACIÓN

Christophe Paviot

El McDonnel Douglas acaba de aterrizar, dejando rastros de goma en las placas de cemento, los pasajeros aplauden, aliviados. Paul dirige ahora su máquina hacia la zona indicada, las señales en el suelo son azules, un azul que daña los ojos.

–Qué absurdo, siempre aplauden cuando termina el aterrizaje.

–Y sí. Son vuelos económicos, Paul.

–Claro, sin duda. Pero siempre me pregunto si los oiríamos silbar en caso de que el avión se estrellase.

–Francamente, me sorprendería. Estarían mucho más ocupados en aferrarse a su cinturón con los ojos desorbitados, en gritarse o en mearse encima.

Paul se divierte. Mélanie, la azafata responsable de cabina, recita las fórmulas de rigor al cabo del aterrizaje: «Señoras y señores, hemos aterrizado en Puerto Plata, son las veintiuna horas, hora dominicana. La temperatura es de treinta y cuatro grados Celsius. Antes de descender no olviden verificar que no han olvidado nada en los compartimentos para el equipaje de mano. El comandante Paul Bertrand y su tripulación les desean una buena estancia en la República Dominicana, así como la compañía Citybird, que espera verlos pronto a bordo de sus aviones. Buenas noches». Mélanie expide el mensaje en tres idiomas. Un vuelo de aves, unos cisnes probablemente, aterriza en las pantallas de los televisores al compás de una sinfonía de pianos. Sus inmensas patas corren sobre el agua de un estanque antes de hundirse en él.

De regreso en el puesto de los pilotos, Mélanie asiste a las últimas instrucciones de Paul. Está a punto de volver a la puerta del aparato para saludar a los pasajeros cuando Paul, en una maniobra de traslación imprevista, deja escapar de su bolsillo una cajita color azul. Mélanie finge no enterarse, mientras Paul se apresura a recoger el objeto caído en la moqueta. Vuelve a guardarlo en un bolsillo, asegurándose ante todo de que nadie lo haya visto. Mélanie adopta un aire inquieto, se ocupa de abrir la cortina, luego la cierra con su cinto de terciopelo, adivinando la mirada de Paul en su espalda.

Cumplidas las formalidades del aterrizaje, firmados los registros, Paul abandona el aeropuerto de Puerto Plata. Sin esperar a los otros miembros de la tripulación, se dirige al aparcamiento, el aire es húmedo y pesado, desecha la idea de un taxi y prefiere el *motoconcho*. El tipo es simpático, le faltan unos dientes. Mientras carga la maleta del piloto en el portaequipaje, le anuncia el precio del viaje. Paul, que conoce las tarifas, le indica que serán cincuenta pesos al hotel, no más. El *motoconcho* está de acuerdo, odia a esos imbéciles que bajan de los aviones llenos de pasta, pero así y todo está de acuerdo, también conoce los precios. Durante todo el trayecto, Paul mantendrá hundida una mano en el bolsillo de su pantalón, aquel donde ha guardado su preciosa cajita azul. Nada, ni los sobresaltos de la moto, ni las grietas de la calzada, ni las grandes hojas de palmera atravesadas, le hará retirar la mano. Su otra mano aprieta firmemente un pedazo de metal revestido de goma.

En su habitación de hotel, Mélanie ha desparramado las ropas sobre la cama. Su blusa y su falda de azafata parecen extrañamente acostadas con un cuerpo invisible dentro. La posición no es casual. El aire aquí es irrespirable y el ventilador se sostiene al límite. Con cada movimiento de astas, se desvía peligrosamente de su eje, da la impresión de que va a soltarse y plantarse en el cráneo o en el pecho de Mélanie. La veterana azafata, treinta y nueve años el año pasado, ignora vagamente la televisión, permitiéndose tan sólo una breve ojeada aproximativa al mando a distancia. Desliza al máximo el ventanal para hacer entrar el aire y verifica que el mosquitero esté en su sitio. Mélanie sabe que aquí los mosquitos no hacen ruido alguno. En principio esta es la única propiedad que los distingue de sus congéneres, tienen el tamaño usual y se nutren básicamente de sangre.

Bajo la ducha, Mélanie se humedece la vagina con jabón íntimo, no da picor y no reseca la piel. Abre un postigo instalado en la ventana de la ducha. La vista es amplia, despejada. Unos listones horizontales basculan en un mecanismo de aluminio, los dominicanos lo han previsto todo, un mosquitero exterior obstaculiza los asaltos de los insectos. Desde ahí, ve a Paul. Está al borde de una piscina y el bolsillo derecho de su pantalón nuevo está inflado, como siempre. Hace ya muchos años que Mélanie vuela a su lado regularmente, pese a las múltiples tentativas de la compañía que obstinadamente desea rotar los equipos de personal aéreo. Este bolsillo intriga a Mélanie. Este bolsillo ha intrigado siempre a Mélanie. No está segura de ello pero recién pareció vislumbrar un estuche de joyería, una cajita de esas donde se guarda un anillo, una alianza. La inscripción en letras finas y doradas de la tapa indicaba aparentemente una marca prestigiosa. La cantidad de letras parece sin embargo muy grande para tratarse de una joya de Cartier. Mélanie, ausente, no advierte el vaso posado en la mesa de Paul, sin duda un whisky con hielo, con hielo industrial. Paul desconfía de las bacterias en el agua en sus vuelos tropicales. Mélanie no advierte tampoco la bonita puta que aborda a Paul y que por veinte pesos le propone hacer el amor. Paul se niega educadamente, es el precio de una botella de Coca-Cola. Una botella de dos litros. La veterana azafata apoya sus nalgas contra los azulejos de la ducha, el suelo está resbaladizo y su espalda golpea rápidamente la pared. Ya no posee los omóplatos de cuando tenía veinte años, por suerte, la capa subsidiaria de epidermis en su espalda es por una vez bienvenida, amortiguando el impacto. Mélanie unta otra vez su dedo con un hilo de jabón íntimo. Mete dos dedos en su sexo y se empeña en pensar en Paul. Los dedos se deslizan fácilmente entre sus mucosas, la naturaleza y los líquidos industriales generalmente combinan bien. Mélanie goza una vez, recomienza con tres dedos en su sexo y dos en su ano, vuelve a gozar. Luego termina por ducharse, piensa un poco en Paul y no omite verificar el interior de sus uñas.

El aire no se ha aliviado, incluso invita a partir. Todo es húmedo, los muebles, la piel, las nubes en aumento. Los alisios de medianoche pasan completamente de los turistas, las azafatas y su comandante de a bordo. Tras la barra del bar, un joven alegre sonríe sin esfuerzo. Paul tiene los pies apoyados en la pared baja de la terraza, le muestra una bella lagartija a Mélanie, ella le tiene terror a estos bichos, como de hecho a todos los bichitos. Una pareja de alemanes recién jubilados, se permiten algunos besos al borde del vacío. La ciudad a sus espaldas es ruidosa, a cada luz corresponde un ruido. Los alemanes siguen a Mélanie y a Paul con la mirada, obsequiándoles una larga sonrisa en el momento en que ellos los descubren:

–Dime, Paul.

–Sí.

–Hay una pregunta que quiero hacerte.

–Sí.

–Ambos nos conocemos bien. Nos apreciamos, por lo menos yo te aprecio y supongo que es recíproco, y ...

–Sí

–Y, ya ves, el vínculo entre nosotros es simple, sin embargo...

Ella hace una pausa, lo mira intensamente, él se contonea para inspeccionar las suelas de sus zapatos, antes de extraer de allí una piedrita.

–¿Sí?

–Sin embargo, hay un detalle que no me explico. De una vez por todas, Paul, podrías decirme al fin, es importante, ¿podrías decirme al fin qué te traes entre manos, después de todos estos años, con esa cosa extraña en tus bolsillos? Ya sea en la cabina, en el restaurante, en el hotel, en la plaza, estés en pantalones largos o en short de baño o en pantalones cortos, siempre cargas esa extraña protuberancia en uno de tus bolsillos.

–Sí.

–Y no me mientas, sería deshonesto de tu parte, aquí, esta noche, después de todo lo que hemos vivido. Me comprendes, ¿no es verdad?

–Sí.

–Sobre todo porque recién, después del aterrizaje, te vi recoger del suelo esa cajita azul, caída de tu bolsillo. ¿Me equivoco?

–No te equivocas, Mélanie, y haces bien en preguntármelo. Me lo esperaba. Me lo esperaba hacía ya muchísimo tiempo.

La veterana azafata contiene su emoción, limitándose a fruncir las cejas. Paul no es lo que se dice joven, cuarenta y ocho años, pero no tiene panza. Es un tipo correcto, bastante guapo en su conjunto, abstracción hecha de sus varices. No se acuesta porque sí, divorciado pero no estropeado. Y sobre todo ha conservado su cabello. Por último, suele pasar sus vacaciones en Drôme, en casa de su anciano padre enfermo.

–Sí, Mélanie, se trata nomás de una cajita azul. Y para confesártelo todo, ahora que me acorralas, la cajita te está destinada. Sólo que nunca hasta hoy tuve el coraje de decírtelo, ni tampoco me sentí con el derecho. Pero ya ves, henos aquí, henos aquí finalmente.

Sin tardar, Paul hunde una mano en el dichoso bolsillo, su fiel bolsillo. De allí extrae un bonito cofrecillo marca Cartier. En efecto, la joya provenía de la plaza Vendôme. Mélanie no estuvo lejos de haber adivinado.

–Oh, Paul, Paul estás loco. Y yo, yo, aquí me tienes, frente a ti, después de todos estos años, ¡oh, Paul! Me vuelves loca, completamente loca, desde hace tanto tiempo.

–Abre.

–Oh, Paul, espera, escúchame, es demasiado hermoso lo que nos pasa. Tras la muerte de Philippe, creí que nunca iba a recuperarme. Ha sido duro, créeme, con los niños y con los suegros, pero ahora que los niños han crecido, debo aceptar, debo aceptar las cosas tal cual son. Soy bella y tengo derecho a reconstruir mi vida.

Es cierto que Mélanie es bella. Rubio el cabello, rubias sus cejas, rubia la pelusita en sus sienes y en lo alto de sus mejillas, rubia también en el pubis que poda concienzudamente, unos milímetros no más, y rubia en fin todo a lo largo de sus piernas, muy hermosas, que ella depila con delicadeza. Mélanie es una mujer magnífica, esencialmente rubia.

–Abre.

Paul se impacienta.

–Oh, mi amor, pero yo te amo. ¿Me oyes? Te amo.

–Sí.

–Oh, mi amor, dime que me amas, ¿la vida no es de repente maravillosa?

–Abre.

Sin esperar, Mélanie retira su mano de la mejilla del piloto, se sienta sobre sus rodillas, es liviana, cruza los brazos tras su cuello y le da un beso inolvidable, universal. Paul se deja manipular y aprovecha vagamente para rozarle los senos. La lengua de Mélanie en su boca promete intercambios felices y estupor. Al tiempo que aprecia discretamente la firmeza de sus glúteos, sorprendente para una mujer de esta edad, una mujer que ha parido dos hijos, los ojos de Paul recorren la terraza y descubren estupefactos los movimientos de los dos alemanes. La alemana está contra la barandilla, con su cuerpo tendido hacia el vacío. Su rojo vestido de gala recogido hasta las caderas deja ver unas bragas blancas encima de su piel bronceada. No, no son bragas, no las lleva puestas, es la marca de su braga, y de la ausencia del sol. El alemán, dentro de un traje sombrío, se apoya contra la mujer y oculta el sexo femenino con una púdica mano. Su pulgar ha desaparecido. Mélanie no ha visto nada. Sus ojos alimentan el azul de los ojos de Paul, que ciegamente bebe un poco más de whisky. Ella se yergue, lleva maliciosamente a la boca el cofrecillo con la joya, hace temblar los labios contra la cajita antes de deslizar una mano cómplice en el bolsillo de ricachón. Ella lo vuelve a besar y acaricia la tapa de la cajita. La abre muy poco, apenas, el resorte se resiste, deja que el objeto vuelva a cerrarse con un ligero chasquido y le pide a Paul que la abra: «Abrela tú». Paul se apodera del cofrecillo. Mélanie le pregunta si se trata de una alianza o más bien de un solitario. Paul le devuelve la caja. Mélanie lo besa en los labios. Él dice «abre».

Ella ABRE.

–Aaaaaaaaaaaaaaaaaaaah.

Un grito agudo atraviesa Puerto Plata. Paul ha hecho bien en estirar su mano, un poco más y el cofrecillo caía al suelo. En la pequeña almohadilla de satén blanco reposa un espantoso insecto.

–Es un espléndido escarabeido –indica Paul.

La cabeza brillante se separa con cuidado del caparazón, todo es de una negrura impenetrable. El insecto está provisto de tres pares de patas protegidas por unos mortíferos espolones, y sobre todo, sobre todo, la cabeza está coronada de unos cuernos inmensos que ocultan la terrible mandíbula. El conjunto debe medir unos cuatro centímetros. Es impresionante. Pero lo más desagradable es que el animal vive. Hasta se permite una breve visita a la parte delantera de la cajita, y sus mandíbulas evalúan el vacío debajo de él. Está a punto de caer, de aplastarse a sus pies, cuando decide dar marcha atrás. Se calza en el borde del cofrecillo. Mélanie, «aaaaaaaaaah», se ha puesto de pie y suelta sus gritos de horror.

Los alemanes, inquietos, el vestido otra vez bajo, el tipo que se lame el pulgar, los observan, atónitos. El barman, por su parte, le alcanza a Paul otro whisky. Con la punta del dedo índice, Paul vuelve a poner el insecto en el cofrecillo. Cierra la tapa delicadamente y guarda el objeto en un bolsillo. La deformación le estira el pantalón. Mélanie se ha escapado, se ha ido a llorar a su cuarto.

Paul se incorpora, saluda a la pareja de alemanes, le paga generosamente al barman y regresa a su habitación. En el camino se cruza con dos o tres lagartijas. Vuelve a pensar en todas las chicas a las cuales les jugó esta broma, la americana de Denver, la japonesa de Singapur... Se desviste, saca el cofrecillo de su bolsillo, lo pone en la mesa de noche, sube la velocidad del ventilador y decide darse otra ducha. Tiene ganas de masturbarse pensando en la americana de Denver, tal vez. No, observa su sexo fláccido y decide que será la japonesa de Singapur.

EL RELOJ

Hervé Jaouen

Para diferenciarlo de su abuelo paterno, Gweltaz llamaba al padre de su madre Abuelo-tren, apodo que se merecía. Jubilado de un trabajo en la estación, adoraba los trenes y repetía a menudo que, de haber sabido que la compañía ferroviaria suprimiría y vendería los *peénes,* él le habría comprado uno, para tener así el placer de oír pasar los trenes bajo sus ventanas. En particular le hubiese gustado uno de los de la línea que corta los meandros del río a lo largo de una veintena de kilómetros; de este modo, de un lado hubiese tenido las vías y del otro las truchas. Con casi ocho años, Gweltaz entendió que los *péenes* eran los pasos a nivel (P. N.). Cuando Abuelo-tren bromeaba con esta adquisición que no había podido hacer, la abuela le respondía que así y todo no tenía de qué quejarse: vivían en una colina, al alcance de los sonidos de la vía, y oían los trenes de ida o de vuelta pitando en un extremo u otro del túnel de Saint-Corentin. Abuelo-tren extraía de un bolsillo el reloj con forma de cebolla y se cercioraba de que el 8722, el 4360, el 3701 o el 8715, más todo un enjambre de números imposibles de recordar, eran o no eran puntuales. Eran puntuales noventa y nueve veces de cien. ¿De qué le servía tener un reloj si los trenes le indicaban la hora?, lo reprendía gentilmente la Abuela. ¡Ah, mejor que ella se ocupe de su tejido y de sus reuniones Tupperware y deje tranquila a la gente! ¡Así era y no de otra forma! Veintitrés años jefe de estación, pitando las partidas, reloj en mano, ¡algo así forma a un hombre! La hora de la merienda era la de la partida del tren de Lyon: 16:42. Abuelo-tren no se dignaba a sentarse a la mesa frente a su taza de café y sus dos tostadas de pan de campo hasta no haber oído el pitido previo a la entrada del túnel. Toleraba cinco minutos de retraso. Después, aunque merendaba pese a todo, se sentaba diciendo: «El Lyon viene con más de cinco minutos de demora». Algo que la Abuela sabía, puesto que también él llevaba más de cinco minutos de demora. Ella entonces no dejaba de responderle: «Igual que tú». «Otra vez un problema de locomotora», afirmaba el abuelo. Nos preguntábamos si no fantaseaba. Cada vez que el Lyon no partía en horario, Abuelo-tren cogía los prismáticos y aseguraba ver unos monumentos significativos cerca de la zona de maniobras. Una máquina sin vagones maniobraba, lo que podía significar que estaba rota la que habían enganchado. A fuerza de escuchar aquello, Gweltaz acabó creyendo que una maldición pesaba sobre el tren de Lyon o que un individuo saboteaba las locomotoras de ese tren. Tenía once años y desde los seis y el primer grado tomaba todas las meriendas en casa de sus abuelos maternos, donde su madre iba a buscarlo, después del trabajo. Gweltaz podría haber ido a la escuela primaria cercana a su hogar, próxima al área residencial donde sus padres habían hecho construir un chalet, pero la planificación escolar lo hubiese obligado a inscribirse en una escuela frecuentada por los chicos de una ZUP. En consecuencia sus padres habían escogido una escuela privada en los barrios antiguos, en la otra punta de la ciudad. En dicho establecimiento, dirigido tiempo atrás por los curas, todavía propietarios del lugar, se enseñaba aún moral y disciplina. Los alumnos de primaria proseguían su escolaridad en el colegio y el liceo adyacentes. El liceo figuraba normalmente entre los diez primeros de Francia por los resultados del examen del bachillerato.

Gweltaz acababa de ingresar al colegio. Frecuentaba cada día tres universos muy distintos: una escuela elitista cuyos profesores tenían exigencias de preceptores; el mundo de sus abuelos, orientados al pasado y aferrados a los valores de su juventud, la escuela del ahorro, del buen sentido y del gusto (dulce de rubarba, de moras y frambuesas, café de achicoria, un bollo de manteca y unas magdalenas calientes que su abuela metía en el horno justo antes de que él llegara); y por último, en su casa, el mundo moderno de los vídeocassetes, los lectores de CD y los videojuegos.

Hacia el fin de año, Abuelo-tren debió admitir que su reloj empezaba a «cansarse». Su mecanismo andaba con dificultad, como el corazón de su dueño. Algunos días retrasaba un minuto, otros tres, de modo que le era imposible verificar la puntualidad de los trenes. ¿Hacerlo arreglar? ¿Quién sería capaz de ello? Eran tiempos de relojes de cuarzo de dos duros, que se echaban a la basura cuando se agotaba la pila. Claro que había un relojero en el barrio, un artesano más o menos retirado del negocio, que seguía trabajando, sin otra publicidad que el boca a boca, en el subsuelo de su casa. Reparaba los grandes péndulos. ¿Sabría reparar un reloj tan valioso, de más de sesenta años? Abuelo-tren fue a mostrárselo. El artesano quiso hacerle un presupuesto, pero le dijo muy honestamente que una «limpieza completa», única tarea factible, ya que cambiar las piezas era algo impensable por la buena razón de que no las encontraría en ningún sitio, equivaldría a un yeso en una pata de palo. El reloj llegaba al final de una vida de exactitudes. El artesano, que poseía un alma de artista y comprendía cuán escaso amor pueden inspirar los relojes modernos, al ver al Abuelo-tren desconcertado le propuso encargar en Suiza un reloj de bolsillo nuevo, fabricado a la antigua por una muy vieja casa con la cual continuaba relacionado. El precio era muy razonable. Abuelo-tren aceptó la propuesta y dos semanas más tarde, a la hora de la merienda, con ojos pícaros, puso delante de Gweltaz un estuche cuadrado y le pidió que lo abriera. El reloj suizo era bastante más voluminoso que el otro, y menos bonito también aunque fuese de acero pulido, pero en la esfera tenía unos números de gran tamaño que Abuelo-tren podría leer sin sus gafas, y, sobre todo, su exactitud se hallaba garantizada: no más de medio minuto de más o de menos por año. Con la condición de no olvidarse de darle cuerda, desde luego. «¿Con esto estarás más adelantado?», se burló la abuela. Abuelo-tren puso cara de no haber escuchado. Solemne, con esos gestos lentos y medidos que le eran propios, desató de su cintura la cadenilla del viejo reloj, ató el reloj nuevo a una cadenilla nueva, lo deslizó en su bolsillo, puso el viejo en el estuche y empujó el estuche hacia Gweltaz. El niño abrió los ojos de par en par.

–Toma, te lo doy –dijo Abuelo-tren–. A ti no te importa si retrasa unos minutos por día. No debes olvidarte de darle cuerda todas las noches. Pero atención, ¡no muy fuerte! En cuanto sientas que el resorte no da más, ¡detente, no lo fuerces! Si no, podrías romperlo y dejaría de andar definitivamente. En ese caso, te quedará siempre el valor de la plata. Es un reloj de plata maciza.

–¿Plata maciza?

–Sí, en aquellos tiempos las cosas no se hacían a medias.

Abuelo-tren había comprado ese reloj en 1926, a la edad de dieciséis años, con los primeros duros obtenidos como obrero de la construcción (no se volvió ferroviario hasta 1936). El reloj representaba tres meses de trabajo, jugando a ser un funámbulo en las escaleras y en los andamios, la espalda encorvada bajo unas pesadas cubetas de cemento untuoso.

–¿Tres meses? ¡Bromeas, abuelo!

–¿Qué te crees? ¡Mi primera bicicleta me costó seis meses de trabajo!

Gweltaz llevaba en la muñeca un reloj de cuarzo comprado en el estanco. ¿Por cuánto? ¿El equivalente de qué? ¿De diez litros de gasolina? ¿De dos entradas de cine? ¿De tres o cuatro atados de cigarrillos? Puso en el hueco de su mano el precioso reloj de Abuelo-tren. Era liso, chato y redondo como una concha. ¡Plata maciza! ¿Se trataba pues de eso, el tinte mate, la pátina incomparable, se trataba de plata? Una tapa protegía la esfera. La levantó. En el interior –lo sabía, pero ahora que el reloj le pertenecía la inscripción adquiría otro valor– estaban grabados el apellido y el nombre de su abuelo, así como la fecha de adquisición. La esfera era blanca y alrededor las horas estaban en números romanos. Las manecillas eran de un extraordinario refinamiento, trabajadas como una especie de caligrafía unos momentos gruesa y otros momentos delgada, un tanto semejantes a las mayúsculas aprendidas en la escuela. En el centro, en redondas letras minúsculas, el fabricante había pintado su nombre con un pincel de miniatura.

–¿Qué hora indica?–preguntó Abuelo-tren.

–Las seis menos veinticinco.

–¡Ah, ya ves! ¡Dos minutos treinta de retraso!

Con las mejillas encendidas, Gweltaz cerró la tapa de la esfera.

–¿Estás contento? –preguntó la abuela.

–¡Claro que sí! ¿Qué te parece?

Sus abuelos lo observaban, tan emocionados como él.

–No lo lleves al colegio, es muy frágil para eso.

–Lo guardará en su habitación –dijo la abuela

–¡Por supuesto! –dijo Gweltaz.

–¿Y mi brioche? ¿Hoy no está buena? ¡No será devorando ese reloj con los ojos que vas a llenar la barriga! –lo retó la abuela mientras sacudía las migajas en su delantal.

Se rieron los tres. Gweltaz metió la brioche untada con mantequilla y mermelada de frambuesa en su taza de café.

–Bendita sea la hora –gritó la abuela.

–Nunca más oportuno –bromeó Abuelo-tren.

En su casa, el regalo fue acogido como una bendición. Los padres de Gweltaz redoblaron las recomendaciones: que el reloj no salga de la habitación, que le dé cuerda con cuidado, que no «juegue» con él (traducción: que no se entretenga desmontándolo). El niño frunció el rostro. ¿Por quién lo tomaban? Sería digno de la confianza que le habían demostrado, no valía la pena tratarlo como un bebé.

Pasaron muchas semanas durante las cuales el objeto fue domesticado. Primero puesto encima de una cómoda, luego por ciclos cubierto de cuadernos y descubierto cuando se ponía orden, perdido en un cajón entre los lápices de color y los rotuladores secos, un día pisapapeles de ocasión en un anaquel, otro día amuleto al cuello de un Sioux en póster tamaño natural fijado con chinchetas a la puerta de su habitación, el reloj se volvió un objeto ordinario.

En el colegio no había genuinos bandidos pero tampoco todos los alumnos eran ángeles. Mejor alumno, envidiado, poco apto para las rencillas, desde el inicio de las clases Gweltaz fue sometido a las usuales vejaciones que los malos hacen sufrir a los buenos. Se le propuso pagar por su tranquilidad y él aceptó. Los domingos, compraba unos cigarrillos que repartía los lunes por la mañana a los tres chicos recios, tras lo cual ellos cambiaban de camiseta y de agresores mutaban a guardaespaldas personales. A comienzos de las vacaciones de Pascuas, Gweltaz cometió la torpeza de esconder en su dormitorio un atado comprado con antelación, que su madre descubrió. ¿Alegar que esos cigarrillos no eran para él? ¿Confesar la extorsión de que era víctima? Imposible. Se imaginó el escándalo en el colegio: los tres golfillos convocados por el director, suspendidos por tres días o a lo mejor expulsados, y esperándolo a la salida a fin de saldar cuentas. Prefirió mentir. Sí, unos compañeros le habían enseñado a fumar, el miércoles, en el terreno en torno a la urbanización.

–Bueno –dijo su madre–, no le diré nada de esto a tu padre, estaría muy decepcionado –y suspiró mirándolo de un modo extraño, como si de golpe se hubiese convertido en un monstruo.

–Es necesario que pase la juventud, supongo... Esta anécdota quedará entre nosotros, pero entenderás que debo castigarte, si no...

¿Si no qué? Ella no fue más lejos en su explicación, y el castigo que esperaba llegó, castigo cuyas consecuencias ella no podía prever, dado que ignoraba lo que vivía en el colegio: sería privado hasta las vacaciones del dinero para sus gastos personales.

El día en que se iniciaba el tercer trimestre, los fumadores lo empujaron durante el recreo. ¿Cómo? ¿Le habían birlado el dinero? ¡Patrañas! El se defendió. No era su culpa, al fin y al cabo. Precisamente sí. Tendría que haberlos escondido mejor, los cigarrillos, y su madre no los habría descubierto. Los estallidos de voces despertaron la atención del consejero de educación. Con el mentón en alto y las cejas fruncidas, se acercó al grupo. Los grandotes asestaron unas palmadas en la espalda de Gweltaz y susurraron que bueno, que le creían, pero que tuviera ojo la próxima vez, y que intentara jugar hábilmente con su madre porque sería muy extraño que ella no se conmoviera y no le diera algo de pasta antes de las vacaciones. El niño se tragó las lágrimas, conmovido por la indulgencia de sus verdugos. En el fondo, no eran tan malvados. Esto lo llevó a extraer de su bolsillo el reloj que había llevado a la escuela con la vaga idea de que la mirada de los envidiosos le devolvería el carácter de objeto sagrado que había perdido un poco desde Navidad. La cadenilla estaba atada a un pasador de su pantalón, tanto para desanimar a los ladrones como para imitar los gestos de Abuelo-tren. Les contó la historia del reloj y la manía de su abuelo de verificar la puntualidad de los trenes. Los otros fueron sensibles a una sola cosa, que uno de los grandes tradujo con estas palabras, justo cuando sonaba el timbre del final del recreo:

–¡En plata maciza! ¡Joder, debe valer un pastón!

Y sopesó el reloj.

–¡Joder, sí, un mogollón de dinero!

Situada en una calle oscura dominada por las murallas de la ciudad vieja, enmarcada en un mármol antracita en el cual estaba tallado en letras de oro el nombre del comerciante, la tienda del joyero-relojero se asemejaba a una tumba. En el escaparate de vidrio ahumado, unas candilejas invisibles alumbraban con reflejos verdosos el terciopelo negro en el cual crucifijos, misales, relojes, pulseras, cadenillas, medallas piadosas y marcos vacíos anunciaban mejor que los lirios el mes de las primeras comuniones.

La apertura de la puerta no desató ni un amable cascabel ni las contadas notas de una música alegre, sino una alarma estridente que tan sólo se detuvo cuando Gweltaz cerró la puerta tras de sí. Unas luces se reflejaban en los vidrios de los altos y sombríos exhibidores de caoba, en los cuales se alineaban copas y cálices fijos sobre zócalos macizos. Inquieto por la alarma, víctima de una especie de mareo, Gweltaz se sintió prisionero de una telaraña de reflejos, aislado en el centro de un recinto sumergido en una noche fosforescente e impregnada en un obstinado olor, similar al de los gruesos misales, que también le evocaba los acres vapores, de esos que hacen palidecer, de un quitamanchas que utilizaba su madre.

Al fondo de la tienda un gran espejo se abrió en silencio y el joyero surgió delante de él, con las manos apoyadas en el mostrador y el busto ligeramente inclinado hacia adelante. Llevaba una camisa blanca y una vieja corbata con un nudo reluciente de usura, que él nunca debía de desatar, y por encima un jersey tejido, de un ridículo color celeste de recién nacido.

–¿Sí? ¿Qué deseas?

–Quisiera vender este reloj. Me han dicho que es de plata maciza.

El joyero cogió el reloj.

–Es de plata, efectivamente. ¿No funciona más? ¿Quieres venderlo, eh?

Gweltaz bajó la cabeza.

–No hay problema, chaval.

El joyero desplegó un rectángulo de fieltro sobre el mostrador y posó encima una minúscula balanza, una caja con pesas y una bolsa de herramientas en la cual escogió un destornillador. Hizo saltar la tapa del reloj rompiendo la bisagra; extirpó el mecanismo de la corona de plata, como quien hace saltar el ojo de un conejo a fin de curarlo; botó el bloque de frágiles engranajes al desnudo, el cuadrante pintado, las preciosas manecillas trabajadas, el vientre, el corazón, el alma del reloj en un balde a sus pies; posó la tapa y la corona en la balanza, multiplicó el peso por el precio del gramo, dijo una cifra, abrió su caja registradora y pagó.

–¡Toma, chaval! Tienes suerte porque el valor de la plata está en alza, desde hace dos años.

El niño permaneció un instante sin moverse, la mirada clavada en el dinero.

–¿Algún problema? ¿Me he equivocado?

–¿Y... el resto? ¿No es de plata?

–¡Ja, ja, ja! ¡No! Pura chatarra. Pero a lo mejor tú querías el mecanismo, para entretenerte desmontándolo...

Gweltaz negó con la cabeza, recogió el dinero y se marchó. En su bolsillo tintineaban las monedas. ¿Plata? ¡Pero él había creído que todo el reloj era de plata! No sólo la tapa y su entorno, que no pesaban casi nada. Ese villano comerciante había destrozado el reloj, pero el asesino verdugo era él, el instigador del crimen premeditado, quien le había dado al joyero la orden de destrozar el reloj, de vaciarlo de sus tripas, de arrojar sus entrañas en el balde. *¡Pero yo no tenía modo de saberlo!*, gritó para sí mismo. Podía oír un murmullo de voces, las de sus padres y de sus abuelos, y estas voces lo acusaban, le decían que él no era más que un monstruo. ¿Un monstruo? ¿Se veía eso en su rostro? Atravesó Monoprix y se observó furtivamente en el espejo de un probador. Bajó los ojos. La imagen de su propio rostro le resultaba insostenible. Entró en un estanco donde jamás había estado, estudió el precio de los cigarrillos y compró los más caros, tres paquetes chatos, en rojo y dorado, bellos como unos cofrecillos. Al día siguiente, le dio uno a cada cual de los tres grandotes. Todos enmudecieron de sorpresa. Les dijo a las claras, con una voz titubeante, que eran los últimos, que no tendrían más cigarrillos, que podían hacerle lo que quisieran, no le importaba. Los dejó impresionados. Intuyeron que su determinación y su indiferencia frente a futuros tormentos, que dicho sea de paso ellos no renunciaban a infligirle, se basaba en algo que no lograban comprender y que era inútil tratar de entender, ya que cada uno de ellos tenía en su bolsillo uno de esos paquetes de cigarrillos que los padres o los tíos compran para fumar ostentosamente en las grandes fiestas familiares, casamientos, bautismos y comuniones. Se distanciaron de él como los perros instintivamente se distancian de los perros locos, y el niño, habiendo borrado con el desembolso las huellas de su falta, creyó estar en adelante dispensado de todo remordimiento. A su edad se ignora que la conciencia se despabila con el crepúsculo y que viene a torturar en el minuto preciso en que estás cayendo de sueño. Esa noche daba vueltas y más vueltas en la cama. Revivía la escena, escribiendo y reescribiendo versiones opuestas. En una se rebelaba contra el joyero, lo trataba de ladrón y de asesino, lo intimidaba a rearmar el reloj y a devolvérselo, y el sujeto, avergonzado, obedecía excusándose por haber cedido al anzuelo del lucro. En la otra era el joyero, amable y paternal, quien lo convencía de conservar el reloj. «¿Qué es un poco de dinero contra la pérdida de un recuerdo invalorable? ¡Piensa en tu abuelo, en la tristeza que sentiría! ¡Este reloj seguirá funcionando dentro de un siglo! ¡Y qué importa si atrasa! ¿Acaso el tiempo no se vuelve más lento a medida que va pasando, digan lo que digan los viejos para quienes ha transcurrido muy deprisa?» El niño le pedía perdón al joyero, el hombre le pellizcaba la mejilla, llamaba a su esposa, una bella mujer en delantal de encaje, como en las novelas norteamericanas, y lo invitaban a merendar en un salón comedor donde resonaba el tic-tac de decenas de péndulos. El daba vueltas en su cama: ¡nada de esto había ocurrido! Estaba furioso consigo mismo, pero más con el joyero-relojero. Ese imbécil ¿no tenía hijos acaso? ¿Ignoraba todas las ideas absurdas que a los hijos se les pasan por la cabeza? Hacía falta, pues, que fuera un Harpagón de la peor calaña para haber aceptado comprar unos pocos gramos de plata. ¿Con qué pingüe beneficio? ¡Maldito sea! Soñaba que le prendía fuego a su tienda y que por la acera, fundidos por el calor de las brasas, chorreaban el oro y la plata de las joyas, cadenillas, pulseras, medallas, cálices y crucifijos. La visión del incendio lo reconfortaba: se dormía al fin. Pero al despertar la idea de volver a ver a sus abuelos lo hacía estremecerse de vergüenza. ¿Qué les diría cuando preguntasen por su viejo amigo el reloj? Inventaría, les diría que estaba bien, que atrasaba cada día un poco más. ¿Y si ellos, ante su madre, se inquietaban por el sitio en que se encontraba el reloj? Ella no podría responder sino: «Vaya, sí, ¡hace un rato que no lo veo!». Le anunció a su madre que no iría a merendar más a casa de sus abuelos, que prefería quedarse estudiando en el colegio donde podía trabajar mejor. «El abuelo y la abuela hablan todo el tiempo, no puedo hacer mis deberes», dijo. Era la clase de argumentos que convencen a padres y abuelos. Se lo aceptaron, conmovidos por tanta seriedad y ardor en el trabajo. Su madre sin embargo se preocupó: desde hacía unos quince días su hijo estaba cambiado. Se encerraba en su habitación, sin mostrar verdadero enojo, pero se había vuelto misterioso y se negaba a responder a sus preguntas inquietas. Adjudicó esto al castigo, que canceló parcialmente acordándole la mitad del dinero que le daba antes del episodio de los cigarrillos. Y luego, aliviada, creyó dar con la explicación correcta: la pubertad. Su hijo entraba en «la ingrata adolescencia». Ella se había preparado para esto. Duraría dos o tres años sin duda, hasta que el niño se convirtiera en un apuesto joven que se lanzaría a la conquista de las chicas; y allí, al menos, su aire de conspirador tendría la mejor de las razones: el primer amor y sus torturas.

La fecha de su comunión se aproximaba. Se confesó. Como debió vérselas con un viejo canónigo convocado para la circunstancia –unos doscientos niños y niñas que absolver de sus nimios pecados–, le confió a este la historia del reloj, lo que no habría hecho con el cura de catecismo. El religioso lo premió con una lección de moral, minimizó su falta y le dio la absolución a cambio de tres Ave Marías y tres Padrenuestros. El niño no se calmó, no obstante. Quedaba en la ciudad un testigo de su delito: el joyero-relojero. ¿Qué edad tendría él? ¿No estaba ya en edad de jubilarse y de vender su tienda? Casi deseaba que muriera y que su cortina metálica permaneciera para siempre baja.

Un lunes su madre le avisó que tendría que ir a comer el miércoles siguiente a casa de sus abuelos. Su abuela y madrina tenía la intención de obsequiarle un reloj de pulsera y por la tarde irían juntos, los tres, a la ciudad para escogerlo. El abuelo y la abuela no se fijarían en gastos, sería un hermoso reloj, le prometieron.

El miércoles, cogió el autobús en compañía de sus abuelos. Se dirigieron a pasos lentos hacia la ciudad vieja. ¿Adonde vamos?, se atrevió él a preguntar. A una relojería-joyería que la familia acostumbraba frecuentar desde hacía lustros. Allá mismo donde le habían comprado su misal de comunión.

En cuanto doblaron la esquina de la calle Des Remparts, no dudó de que se trataba de la tienda en la que el crimen había sido perpetrado. Intentó arrastrar a sus abuelos hacia otro comercio donde vendían relojes «más de moda».

–De moda pueden ser –dijo Abuelo-tren–, pero seguramente no relojes suizos. A propósito, ¿cómo anda el tuyo?

El niño rompió a llorar.

–¡No quiero nada! –murmuró.

–¿Qué has dicho, mi tesoro? –preguntó la abuela, un poco dura de oreja– ¿Qué ha dicho?

–No quiero nada –repitió.

–Mira, abuelo, ¡tu nieto llora! ¿Pero por qué? Dile a tu abuela por qué lloras, mi tesoro.

Ella extrajo un pañuelo de su bolso. Olía a colonia de lavanda. Abuelo-tren lo abrazó.

–Vamos, te prometo que si no encuentras nada de tu gusto en esta tienda iremos a otra. ¿De acuerdo?

El niño se apartó brutalmente.

–¡Os digo que no quiero nada! ¡NO QUIERO NADA! ¡NADA! ¡NADA DE NADA! –gritó largándose a toda prisa.

–¡Gweltaz...!

Corrió en dirección al boulevard. El tráfico era denso. El semáforo estaba en verde. Un camión llegaba.

Se oyó un largo bocinazo, semejante al sonido de la corneta de la locomotora de las 15:44. Por un reflejo, Abuelo-tren sacó el reloj de su bolsillo.

EL PASADO POR VENIR

René Belletto

Comprobé por última vez que el pequeño revólver no se viera en el bolsillo interior de mi chaqueta y pulsé el timbre en la verja de entrada. Estaba seguro de que se hallaba en su casa, en su escritorio (un rectángulo de luz pálida que se recortaba en la primera planta de la mansión), pero le gustó dejarme en la puerta todo el tiempo que se le antojó. Dominé mi nerviosismo –hice tan sólo algunos pasos frente a la verja– sin darle la satisfacción de un segundo timbrazo.

Pasó alrededor de un minuto, que consagré a saborear los olores de primavera, que impregnaban el aire nocturno. Juan de la Torre no se había privado realmente de nada al ofrecerse esa vieja casa del suburbio este de la ciudad, donde sin esfuerzo uno podía creerse en pleno campo. A apenas seis kilómetros de la ciudad, y en cuanto se abandonaba la autopista, se penetraba bruscamente en un paisaje de prados, bosquecillos y senderos de tierra. Las casas, tranquilas y seguras, apenas se veían tras los altos árboles de los parques. Pero yo no envidiaba a sus ocupantes. La vida me parecía ausente de esos lugares de retiro. Prefería de lejos mi piso del centro, e iba a visitar a Juan con cierto malestar.

La lámpara de la escalinata de entrada se encendió al fin. Apareció él.

Una treintena de metros separaba la mansión de la verja, y habitualmente yo me divertía con las dificultades que tenía para mantener una actitud natural a lo largo del trayecto. Sobre todo los últimos pasos le eran arduos, a partir de que ambos distinguíamos nuestros rasgos sin que fuese todavía posible conversar, a menos que eleváramos la voz de forma ridícula. Entonces me miraba con una sonrisa forzada, o fingía interesarse en el curso de las nubes o en el grado de crecimiento de sus flores, o más aún, para darse aplomo, le prestaba exagerada atención al funcionamiento de su pipa, aspirando con tal violencia que la hacía gemir como un animalillo herido, y el artificio, inmediatamente advertido, ponía de manifiesto su incomodidad, por mucho que disimulara.

Esa noche, sin embargo, tuve la sorpresa de constatar que su proceder y sus palabras de bienvenida no delataban la menor violencia. Se disculpó por haberme hecho aguardar: unas tareas apasionantes lo absorbían desde hacía una semana, me dijo, hasta el punto de que no respondía a los requerimientos del mundo exterior, fuesen estos de orden sonoro, visual o incluso táctil. Así, la mañana precedente, la mujer de la limpieza, después de haberlo llamado sin éxito, había tenido que tocarlo varias veces en el hombro a fin de preguntarle si deseaba salir del salón de abajo por el tiempo que dura una veloz pasada de plumero.

Juan hizo durar la anécdota hasta la escalera de entrada. Yo la encontré sin interés, cargada de detalles nimios o poco verosímiles. ¿Pretendía ya exasperarme? Tomé la decisión de reír como ante una buena broma, decisión de la cual me felicité, ya que la risa me permitió conservar la sangre fría y retomando el aliento tuve la dicha de saturar mis órganos olfativos con un lejano y delicado perfume de lilas.

Entramos. Yo no había dicho todavía ni tres palabras. El miedo a demostrar una excesiva cortesía que pudiera intrigar a Juan no debía tampoco arrastrarme a una frialdad o reserva no menos extrañas. Le pregunté en primer lugar si no estaba importunándolo. Me respondió que debía visitar temprano por la noche a un periodista –me lo describió, yo lo había visto antes en su casa–, pero que lo llamaría para anular su encuentro, por cierto poco importante y una labor fastidiosa a su juicio. Elogié el buen gusto con que había arreglado el vestíbulo desde mi última visita. Unas pinturas nuevas lo decoraban. Me detuve frente a un dibujo de Goya.

–Lo traje de España. Acabo de pasar allí unos pocos días. Precisaba unos documentos que se hallaban en Cuevas, en casa de mis padres, y de regreso pasé por Madrid, donde le compré esto a un amigo. ¿Te gusta?

–Mucho. Ilustra bien el sentido de lo absurdo y de la irrisión de tu maestro predilecto. Y... esos documentos, ¿de qué tratan, si no soy indiscreto?

–Para nada. Se trata de ciertas investigaciones de la cuales justamente quería hablarte. Tu presencia aquí esta noche no puede ser más oportuna.

Sentí deseos de responder: «¿Ah, sí?», descargando mi revólver en su estómago ya prominente a pesar de su edad, pero me contuve. Había ido allí para escucharlo parlotear una vez más y sabía por experiencia que, llegado un momento puntual, mis ganas de matarlo explotarían. Apurar dicho instante sería disminuir mi placer. Me limité a apreciar su rasgo de humor involuntario.

–Vamos a mi escritorio –dijo–. Te haré probar un vino que ha alcanzado la edad ideal en las bodegas de mi tío Ignacio.

Yo conocía la calidad de los vinos que traía de sus viajes a España, y me regocijé por anticipado de los placeres que me reservaba la noche.

Con un gesto amplio y elegante, me invitó a precederlo en la escalera. Advertía en él un aplomo inusual, una comodidad en sus actitudes y sus movimientos que hacía casi olvidar la pequeñez de su talla, agravada por un trasero rollizo y caído, unas vestimentas mal cortadas y un rostro muy breve, como aplastado. No se veía en él más que al hombre vivaz e inteligente que era en verdad. Todo esto me fastidiaba mucho. Mientras montábamos, me pidió –¡el muy hipócrita!– noticias de Anne-Marie. Le contesté con calma que estaba bien y que le enviaba saludos.

Entramos en su escritorio. Se instaló tras la mesa y me hizo sentar enfrente. El rostro ligeramente inclinado, la nariz presa de sus manos, me observó por algunos segundos antes de proponer que me quitara la chaqueta. Respondí que me sentía bien así y tan sólo la desabotoné, lo que a su vez me permitía tener fácil acceso al arma y ofrecer –sólo en parte, lamenté–a su envidiosa admiración el magnífico jersey blanco de *shetland* que había adquirido aquella misma tarde, y en cuyo alto cuello mis largos cabellos caían de la forma más sentadora. Le di tiempo de meditar acerca de su fealdad, luego le recordé su llamada telefónica. Él hizo un comentario sobre su distracción, se incorporó rogándome lo excusara y abandonó la sala a cortos pasos apurados. (El teléfono se hallaba en el saloncito de abajo, donde Juan pasaba leyendo días enteros. No trabajaba en su escritorio más que de noche.)

Tenía otra oportunidad para matarlo: bastaba con que girase y le disparara en la espalda. Pero lo quería de frente, jugando al profesor, encandilándome con ideas sutiles y originales, llevando mi odio a su cima.

Me valí de su ausencia para tratar de relajarme, pero no lo logré. El silencio demasiado profundo, la pálida luz de un farol ornamentado con dibujos, los viejos muebles andaluces, sombríos y corpulentos, que Juan había hecho venir con grandes gastos, la misteriosa presencia de los libros que cubrían por completo la pared, todo aquello me oprimía, sin hablar del homicidio que me aprestaba a cometer.

Volvió muy pronto, con un sacacorchos en la mano. Casi me río de esa unión ridícula entre Juan y un sacacorchos. De un pequeño mueble negro, bajo y con patas, extrajo una botella y dos vasos altos que posó en la mesa sin molestarse (y yo que lo creía tan cuidadoso) en apartar los papeles dispersos.

Sirvió dos vasos. Aquello de lo que iba a hablarme no debía ser extraño a su excitación y a su confianza, pero tomé la precaución de formularle una nueva pregunta. Bebí un sorbo de vino e hice una discreta gárgara antes de tragarlo con delectación.

–¡Excelente! ¡Realmente excelente! –exclamé con total sinceridad–. Este regusto a licor es una rara cualidad. Tu vino puede rivalizar sin problemas con los mejores de Francia.

Juan sonrió, lo que arrugó su rostro alargándolo, volviéndolo más odioso todavía. Sentí ganas de molerlo a puñetazos a la altura de las orejas con tal de devolverle la forma humana.

–Tu afición a los placeres de este mundo siempre me regocija –dijo–. Espero que tu gula, satisfecha, te parezca suficiente compensación para las abstracciones que he de infligirte, e incluso que éstas te apasionen como a mí, ¿quién sabe?

Su mueca irónica era insoportable. Crucé los brazos en señal de atención dócil, como un alumno. Mi mano derecha tanteaba el pequeño revólver contra mi pecho. De un trago, Juan bebió la mitad de su vaso.

–Por razones que conoces –empezó cruzando él también los brazos– estuve largo rato sin tener acceso a los archivos de mi familia, en Cuevas. Fue tan sólo en ocasión de mi viaje reciente que pude tomar conocimiento de los últimos documentos necesarios para cerrar un caso abierto desde hace años.

–¿Y del que nunca me hablaste? (Yo estaba sorprendido.)

–Te habrías reído en mis narices. Cuento con que tu reacción hoy será diferente. Ahora tengo idea cabal de un asombroso rasgo que parece propio de ciertos miembros de mi familia. El primer texto en mencionar este rasgo fue escrito, de puño y letra, por un lejano antepasado, fanático y letrado, Miguel Federico de la Torre, y data de 1489. Este Miguel Federico detalla las circunstancias de su propia muerte que no sobrevino sino tres años más tarde, en 1492, cuando la toma de Granada por Fernando e Isabel. Me dirás que es sencillo morir apropiándose de una ciudad defendida por los tenaces moros, y como, por otra parte, ignoramos las circunstancias reales de esta muerte, supuse que mi antepasado, bajo el efecto de mórbidas tendencias, se entretuvo imaginando su fin, y que un capricho del destino le dio la razón, al menos en lo que atañe a la fecha. Pero oye bien cómo sigue esto. Dejaba tres hijos, dos varones y una mujer. Los dos varones llevaron una existencia normal y murieron de viejos. La hija se apagó a los dieciocho años de una enfermedad que un escriba anónimo –acaso un preceptor, acaso un cronista vinculado a la familia– describe como «una pérdida progresiva de la sangre». Podría pensarse que se trató de leucemia. El mismo escrito, sin embargo, cuenta que desde los nueve años de edad la niña parecía conocer la futura evolución de su mal. Hablaba de ello como de un acontecimiento pasado, describía unos síntomas que no aparecieron hasta mucho más tarde, se quejaba porque uno de sus hermanos no se hallaba a su lado la tarde su muerte, etcétera.

Interrumpí a Juan.

–¿Qué intentas hacerme creer? ¿Que tus ancestros preveían el futuro? Me decepcionas. ¿Desde cuándo te interesas en coincidencias y en casos patológicos?

Juan soltó una de esas sonrisas torcidas que acentuaban su fealdad y que despertaban en mí una feroz cólera, todavía fácil y hasta agradable de reprimir. Me sirvió más vino, a pesar de mi gesto de rechazo. (La ligera ebriedad que me había provocado el primer vaso era útil para mis planes, un vaso de más los habría tal vez comprometido.)

–Qué impaciente –dijo, sirviéndose a su vez–. Tranquilízate que no tengo la intención de hacerte un resumen exacto de una pesquisa que duró años. Pensaba solamente que algunos casos te ayudarían a captar mejor mis conclusiones. Abrevio, pues: tengo en mis manos una larga lista de testimonios que establecen de forma irrefutable –déjame estar seguro de ello– que algunos De la Torre han tenido no un conocimiento del futuro, como has dicho, sino más bien el recuerdo de hechos futuros que les concernían. Hablaban de su pasado, además, como si se aprestaran a revivirlo. Recuerdo aún ciertas frases de mi madre, pronunciadas en la mesa familiar y en las que se alegraba por los largos años de infancia que le quedaban por delante. Mi madre entonces tenía treinta y cinco años.

Un hecho es llamativo: estos fenómenos, en todos los casos, sólo se manifestaron a partir de la mitad de la vida del individuo y no fueron acompañados de ningún sentimiento de temor o de angustia. Al contrario, tuvieron como consecuencia una serenidad característica en los De la Torre, quienes asimismo sentían el ansia –o la necesidad– de hacer de todo esto una suerte de secreto del que sólo hablarían entre ellos y que los empujaba, incluso, a excluir a los familiares no afectados por los síntomas. Excepción hecha, desde luego, de algunos confidentes, confesores o médicos incrédulos. Espero que adviertas el honor que te hago al contarte esto. –Pero yo advertía sobre todo la agresividad que suscitaba en mí su tono pedante y su mordacidad. Juan continuó:

«El primero que intentó reflexionar sobre el fenómeno, en lugar de simplemente describirlo, fue mi bisabuelo Jacinto, director de un museo en Málaga...»

–Te lo suplico, ahórrame todos esos nombres. Soy insensible, lo sabes, a la sonoridad metálica de tu lengua.

–Mi bisabuelo –repitió Juan, tomando en cuenta mi interrupción sin advertir la maldad–, en una extensa carta a uno de sus sobrinos, esbozó la hipótesis de que para algunos de nosotros –o quizá para todos los hombres que no tienen conciencia– el tiempo transcurre en los dos sentidos a la vez, del pasado al porvenir y del porvenir al pasado, en el mismo momento y a la misma velocidad, lo cual explicaría la aparición de estos «recuerdos» tan particulares únicamente tras la mitad de la vida. Como ejemplo tomó a un hombre que había nacido en 1700 y muerto en 1760: en el mismo instante en que nace, este hombre comienza, sesenta años más tarde, a vivir su vida al revés. En la exacta mitad de esta vida –una experiencia vivida por el propio Jacinto– toma conciencia de estar cumpliendo el mismo acto, la misma acción, y a partir de allí él avanza en simultáneo hacia su nacimiento y hacia su muerte. El hombre percibe su futuro a la vez como pasado y como futuro. Así es que en 1740, por ejemplo, el hombre en cuestión tendrá asimismo conciencia de encontrarse en 1720. Se acordará de haber vivido los primeros veinte años de su vida en sentido normal, los últimos veinte a contrapelo, y el periodo que se extiende de 1720 a 1740 lo habrá vivido en ambos sentidos. Pero, dado que el inicio y el fin de esta etapa coinciden en su mente, todo ocurre como si no existiese, como si no hubiese existido nunca y no debiese existir más. El periodo es como si fuese borrado, a tal extremo que en 1760 el hombre habrá vivido dos vidas que se anularán una a otra, y el momento de su muerte será también el de su nacimiento. ¿Me has seguido?

Levanté la cabeza. No me podía resistir mucho al brillo oscuro del vino en el vaso. Lo saboreaba en pequeños sorbos, y el placer obtenido ayudaba a soportar los abstrusos razonamientos con que Juan me abrumaba. De ordinario su charla era menos fantasiosa, pero yo estaba intrigado y deseaba saber adónde quería llegar. Le hice señas de que prosiguiera.

–El sobrino, por ese entonces estudiante en *Salamanque* –pronunció Juan cuidadosamente en francés–, fue sensible (como tú) a la oscura y confusa manera de ver de su tío. Imaginar que un hombre comienza al mismo instante a vivir su vida en ambos sentidos, le respondió, es suponer un inicio y un fin del tiempo –suposición inconcebible– y también que el inicio es rigurosamente simétrico al final con respecto a la vida de este hombre y tan sólo de este hombre.

Ahora bien, somos varios los que hemos tenido idéntica experiencia. Para escapar de esta contradicción concibe la idea de los dos tiempos superpuestos que recorren un único círculo en sentido inverso, pero esta nueva representación da lugar a contradicciones más numerosas y más graves. La espiral ya no le satisface, tampoco la noción de un círculo infinito, o la noción según la cual cada hombre vive en un universo temporal que le es propio. Para terminar, apartándose con pesar de la red de hipótesis en que se ha embrollado, no retiene de todo esto más que la idea de destino y saca como conclusión –inesperada, estarás de acuerdo– unas reglas de conducta muy cristianas.

Juan me había visto cambiar muchas veces de posición en la silla. Malinterpretando las causas de mi agitación, me preguntó:

–A lo mejor tú tienes argumentos que oponer.

–Tengo miles –repuse, con muy pocas ganas de entablar una polémica.

–¿Por ejemplo?

–Y bien... Un hombre que conoce el futuro puede cambiarlo, es evidente. Un padre que sabe que su hijo será aplastado por un camión al día siguiente yendo a la escuela, impedirá que éste vaya, y el accidente no tendrá lugar.

–Pero no. Si el accidente no tiene lugar, él no sabrá nada. Sólo puede saber lo que sucedió realmente, porque el futuro ya ha pasado y existe en su cabeza en calidad de recuerdo. Esto suena inconcebible, lo sé. Pero quizá toda tentativa de concebir o aun de describir esta realidad distinta se halle de antemano condenada al fracaso, si se considera –idea banal– que nuestra percepción del tiempo es incompleta o falsa, que es solamente utilitaria y no se corresponde con esta realidad. Mi padre desarrolló esta idea en una carta a su hermano Ignacio. Por supuesto, todos estos documentos se encuentran a tu disposición, los tienes ante tus ojos. Ignacio, el mismo a quien le debes el gozo de este momento, era en aquel tiempo juez municipal de Aaïun, en el Sahara español. Mi padre comienza, por pura diversión, a describir el pueblo en el que vivía su hermano, pueblo que él no conocería hasta dos años después. Luego retoma diversas explicaciones dadas por sus antepasados y las critica basándose en el hecho de que todas se fundan en representaciones espaciales del tiempo, de las cuales él reconoce además que nuestro limitado raciocinio no puede huir. Reconsiderando la idea de Jacinto –mi abuelo– de los dos tiempos contrarios que se anulan, se imagina un tiempo inmóvil, una suerte de instante único, inflado hasta las dimensiones de la nada, en el que todos estamos confundidos, y postula así el carácter ilusorio de toda realidad.

El tono exaltado con que Juan me acababa de hablar me indicó que no tenía acaso nada que agregar, lo cual me decepcionó un poco. Yo esperaba una conclusión más excitante. Parecía muy satisfecho de la forma en que me había contestado y exhibió –ostensiblemente, como adoptando una actitud ensayada ante un espejo– una omnisciente expresión de desprecio para pasar a preguntarme qué pensaba al fin y al cabo de todo esto. El momento de matarlo estaba cerca y tuve que reprimir un escalofrío. Le respondí con sequedad que no pensaba nada, que los hechos expuestos ponían en tela de juicio la salud mental de sus parientes y ancestros, y no la naturaleza de las cosas, y más aún, que las hipótesis mediante las cuales explicaba estos hechos eran opiniones gratuitas e indemostrables, por lo tanto sin interés. Fue entonces cuando volvió ideales las condiciones del crimen, fue entonces cuando decidió por cuenta propia, por así decirlo, el instante de su muerte. Vació lenta y voluptuosamente el vaso, y se tomó incluso el tiempo de limpiarse la boca antes de replicar:

–Yo sabía que te haría falta una prueba –dijo con una nota de triunfo y de orgullo en la voz que me hizo poner tieso–. ¿Y si yo te dijera (por si, muy concentrado en tu odio, no lo hubieses sospechado) que yo mismo soy uno de esos De la Torre para quienes el pasado y el futuro no hacen sino una sola masa de recuerdos?

–Entonces te pediría que evocases el recuerdo de los segundos que han de seguir, eso me haría feliz.

–¡A mí también, ya que sería hablarte de tu muerte!

Estallé, de risa y de cólera, y desenfundé mi revólver. Los nervios me volvieron más torpe y menos ágil de lo que hubiese deseado, pero Juan no intentó siquiera fugarse o defenderse. Le disparé seis balas en el pecho sin conseguir borrar de su rostro esa mueca de burla triunfal.

Su mirada se volvió vaga, manaba sangre de su boca, pero él seguía mirándome, y un resto de vida hacía aún palpitar su carne cuando la puerta del escritorio se abrió a mis espaldas y un hombre armado me atravesó con la misma cantidad de balas que Juan había recibido de mí.

DEDICATORIA

Annie Saumont

Firmé ejemplares de mi novela en Lille. En el Furet du Nord –es el nombre de la librería– para decenas de lectores (centenas quedaría mejor, pero no, no exageremos. Decenas no está tan mal). Y esperaba ver por fin a Juan Víctor.

Por lo común, desde hace veinte años (pongamos dieciocho años si queréis, pero yo redondeo, es normal, no voy a contaros que escribo oficialmente desde hace diecisiete años cuatro meses y seis días puesto que mi primer libro publicado salió el, precisiones superfluas, me detengo), cada vez que se publica uno de mis libros Juan Víctor me envía un breve mensaje. Juan Víctor de la Tiébauderie. No sé quién es. Nunca he querido saberlo. Unas líneas acompañan un ejemplar de la nueva novela con un sobre estampillado, endosado por él mismo, listo para el reenvío. Me pide una simple dedicatoria. En el libro de hace veinte años (o dieciocho, redondeo) fue *Muy amistosamente*. Después he ido permitiéndome algo más de libertad, de calidez. Esto respondía a su entusiasmo. Siempre tan apasionantes, sus tramas. Permítame solicitarle una vez más...

Hoy me he apostado tras el montón de libros de mi última obra. En Lille. En el Furet du Nord. Lille es la ciudad donde vive Juan Víctor. Me advirtió que vendría. Me he arreglado. He pasado por las manos de una cosmetóloga (máscara de retinol para suavizar las arrugas), camisa de seda (de rebaja) y falda (de oferta) lucen con buena apariencia. Hace veinte años que escribo, ya no soy ninguna adolescente, tampoco Juan Víctor, supongo, hace veinte años que me lee. A menudo los hombres envejecen bien. Pero ignoro todo acerca de él, salvo que le gusta lo que cuento.

¿Cuál es su nombre?

Juan Pedro Juan Pablo Juan Diego Juan Claudio Juan Luis Juan Francisco Juan Miguel.

Para Juan Pablo con toda mi amistad. Para Juan Claudio con amistad. Para Juan Francisco amistosamente.

¿Cuál es su nombre?

Juan algo. *Juan II el Bueno. Juan III el Piadoso Juan Bautista Juan Crisóstomo.*

¿Juan el Bueno fue buen príncipe? Juan el Piadoso rezó mucho. Juan Bautista predicó mucho. Juan Crisóstomo, no lo conozco.

Imagino a Juan Víctor. Lo veo alto y atlético. Los ojos: dos aguamarinas, siempre he soñado con un hombre de mirada azul. Peinado: cambia según las modas, de la coleta al cráneo afeitado pasando por los *dreadlocks* (por qué no, mi gusto varía). Hoy lo voy a conocer. Firmo y, mientras llevo mi mano a otro libro, con disimulo vigilo la puerta vidriera. Lo ha prometido. Juan Víctor de la Tiébauderie. Mi fan de apellido aristrocrático. Eso me pone contenta.

Los otros lectores se empujan, lectores y lectoras. Cortésmente. Me formulan todos las mismas preguntas. Cuánto tiempo para hacer. ¿De dónde saca estas historias? ¿Situaciones reales o usted inventa? Yo, dice el contable de Euralille, trato de escribir, hasta me inscribí en un taller. Piensa usted que. Y esta, recepcionista del Floréal, aquel jefe electricista en el Grand Palais, los profes del liceo Faidherbe y el camarero del Balatum. Cree usted realmente. ¿Es tan difícil encontrar un editor? Sí/no respondo al azar con una sonrisa inmutable. Pasa una hora, pierdo la esperanza sin perder el control, con una mano que tiembla un tanto despacho la tarea cordialmente cordialmente cordialmente.

El que esperaba no vino. O quizá vino de incógnito, perdido en la muchedumbre, renunciando a presentarse. No tenía ningún libro para ser dedicado ya que me envió hace mucho tiempo un ejemplar y yo escribí *Para Juan Víctor, mi lector muy fiel.* Evocando a mis personajes él se arriesgó a hablar de lazos que se anudan sin que uno lo haya buscado. Mi Juan Víctor desconocido y sin embargo familiar. Que últimamente decidió, Como usted ha sido invitada a una librería de mi barrio por fin vamos a vernos. Lo esperé hasta la hora del vino y de las galletas. La encargada de la librería servía los vasos, presentaba las bandejas, sorprendidísima de que la vendedora, tras haber preparado los refrescos y haberse ofrecido a servirlos, se hubiera eclipsado sin avisar. Usualmente Clara cumplía con sus obligaciones.

Los Juan y los otros bebían. Juan Pedro Juan Pablo Juan Luis Juan Diego *Juan sin Miedo Juan de la Luna Juan que llora Juan que ríe. Tío Juan sácate el gabán. Juan de Florette. Juan V Paleólogo Juan VI Cantacuzeno.*

Mi novela vale quince euros. Algunos dicen que Juan el Bueno creó el franco en 1360 y de ser cierto lo traicionamos. Juan Víctor también me ha traicionado. Examino uno por uno los altos los bajos los gordos los flacos los guapos los mediocres los extra los ordinarios todos estos hombres con el libro en la mano que dicen llamarse Juan (José Pedro Pablo Diego Luis Miguel Francisco). Ningún Juan Víctor. Ninguna carta tras el acontecimiento para explicar su ausencia. ¿Gripe? ¿Un viaje imprevisto? Trabajo en el comienzo de otra novela. Que será publicada. Tal vez. El buen humor se fue. El corazón se va a pique. Accesos de melancolía. Los días pasarán. Las semanas. Olvidaré.

Los meses. Tres meses ya desde la sesión de dedicatorias. Esta mañana llamo a Lille. A la librería. Un asunto banal de ejemplares que reponer. La encargada ha salido por todo el día. Trato el tema lo mejor que puedo con Clara. Luego Clara por lo común reservada se vuelve locuaz. Oigo a la pequeña vendedora contarme en el auricular que su vida se ha transformado. Me anuncia que tiene un novio, inteligente, súper, muy *chic*. Alto delgado elegante. El príncipe azul. Lo conoció en el Furet du Nord. Aquella noche. Sí la noche en que. ¿No notó usted mi repentina desaparición? La patrona refunfuñó después. Fue un flechazo a primera vista, dice Clara. Abrió la puerta nos miramos, dio un paso y sonrió, tendió la mano, ella lo siguió no nos separaremos nunca más. Le habla a menudo de mis libros. Los encuentra tan emocionantes.

Ella dice que él se llama Juan Víctor.

Tiébaud.

Le ha parecido superfluo conservar el «de la».

LA PROFANACIÓN EN LOS CEMENTERIOS

Vincent Ravalec

El nacimiento de su hija lo reconcilió con el mundo. De su propia niñez, conservaba un recuerdo ambiguo, mezcla de calor y refugio porque sus padres se amaban, pero también una desgarradura debida a sus diferencias de origen y de cultura, y a los problemas que esto había planteado. Sufrió por ello, nunca es grato para un niño que le digan el Hijo del semi-Negro, o Yogurt, o el Blanco, todo porque su padre era un antillano de piel más bien clara, su madre una Sarakolé y vivían en África, de modo que esto acabó por lograr que a él no le gustaran mucho los negros. Guardaba demasiados malos recuerdos a causa de ello: las piedras que le arrojaban, los insultos y sus padres mantenidos a raya por su filiación política, el semi-Negro color coco, la mona y su pequeño Danone. Lo hizo muy feliz poder venir a Francia. En su memoria, todo el tiempo, veía la humareda de una fábrica, primero en Dakar, luego al lado del terreno de fútbol, en Francia, y más tarde al borde del baldío. Le parecía que se trataba de la chimenea donde debía de fundirse y dilatarse el mal que lo acompañaba, y que sólo encontraría definitivamente la paz cuando no tuviese más combustible, cuando estuviese muerto.

Aterrizó en Francia debido al fútbol, porque alguien se fijó en él, poco después de que el cuerpo y los bienes de sus padres hubiesen desaparecido en un misterioso accidente que las habladurías adjudicaron a oscuras razones políticas, a una venganza de los militares, o del príncipe, o de una facción rival, o simplemente a una jugarreta del destino. Era imposible saberlo pero lo cierto es que se sintió totalmente solo, rechazado por todos, y alguien, un turista de paso, se apiadó del pobre muchacho y le propuso ir a Francia, pagarle el viaje para que entrenara y jugara en algún club, siempre había lugar para los buenos jugadores, para las promesas como él y sin saber muy bien cómo terminó en un avión y luego en París, en su gran periferia, en Pontault-Combault, en una pequeña estructura, era más o menos cuestión de formarlo a fin de venderlo después, cuando estuviese realmente listo para trepar los escalones que conducen a la cima, cuando valiese una fortuna, un dineral, este era al menos el proyecto de quien se había fijado en él en África, un comerciante de Pontault-Combault, aferrado a su idea de crear una suerte de imperio donde el fútbol y la formación de jóvenes talentos extranjeros, negros o magrebíes, fuese la punta de lanza, pero el proyecto zozobró casi de inmediato porque hubo un control fiscal y la mafia que financiaba el hospedaje, las camisetas y las dietas se agotó, y al cabo de algunas dilaciones, tras una semana de dudas en la alcaldía, volvió a hallarse en la calle, sin ayuda de nadie, salvo que ahora estaba en Francia y ya no en África, y aun cuando hubiera pedido ser repatriado de todos modos qué habría hecho y a dónde podría haber ido, visto que allí no tenía ni familiares ni amigos a los cuales acudir.

Después de estas desventuras, una parte de él se volvió dura, inexpugnable como una piedra, y si sentía una emoción era únicamente tristeza, compasión por él mismo y por los horrores del mundo, pero esto no ocurría a menudo.

Conoció a su mujer justo después de ser expulsado por el adjunto del alcalde, quien le dio cien francos dentro de un sobre con la dirección de la embajada de Senegal. Ella se hallaba en el andén del metro y parecía tan perdida como él. Perdida y extraviada, y sintió un nudo tan tenso en la garganta que a poco estuvo de llorar. Lo que lo puso en alerta fueron sus deseos de llorar.

–Discúlpeme, busco la Ciudad Universitaria.

Supo más tarde que el hecho de que ella le hablara a alguien de color (para muchos chinos, los negros se asemejan a los monos) era absolutamente extraordinario. Ella hablaba francés a la perfección, no lograba ubicar la estación de metro en la cual debía bajar, se había equivocado de línea. También él estaba perdido pero contestó espere, no es complicado, voy a explicarle, y apenas hubo pronunciado esta frase, otra brotaba de su boca, aunque, verá usted, de hecho sí, es un poco complicado, será mejor que la acompañe, de cualquier forma queda en mi camino. Aquella tarde, para atravesar París, tardaron tres horas y media, una grieta se había abierto misteriosamente, y de pronto el mundo le parecía mucho más calmo, brillante y alegre.

Ella nunca había vuelto a China (tal como lo predijo, al anunciar su vínculo con un negro, su padre le escribió que la vomitaba, «cómo has podido hacer algo así, te vomito», y en cuanto a su madre, en la carta no puso nada excepto «tú no eres más mi hija»). Tres meses más tarde estaba embarazada y nueve meses más tarde estaba muerta, en el parto, tras dar a luz a una niña, su niña, su hijita. La semana previa habían leído *Love Story*, ella gordísima, acostada en el lecho de la habitación universitaria, y él protegiéndola, y habían llorado.

Los años siguientes no le habían dejado más que malos recuerdos, su pena era inmensa, se hallaba a solas con el bebé, sin un verdadero hogar, sin un verdadero empleo, batallando mes tras mes para no perder el rumbo, para mantenerse a flote, haciendo malabares con problemas que la mayoría de la gente no tiene que afrontar, como alimentarse, abrigarse, lavarse, resguardarse de enfermedades, pero era combativo y estaba acostumbrado a la rudeza de las cosas y por su hija hubiese movido montañas, nunca habría bajado los brazos. Le puso Aurora y ella era lo que nunca había pensado hallar en esta tierra. Por un tiempo una asociación los albergó pero como no quería trabajar la mujer los expulsó, o más bien él partió antes de que cumpliera con su amenaza de prevenir al juez de menores. De lo único que tenía ganas era de estar con su hija y de jugar al fútbol (cosa que cada tanto hacía), ¿cómo odiarlo?

Así se fue aproximando al terreno baldío. Tras una situación precaria en una vivienda social terminó aterrizando en La Plaine-Saint Denis, un día de primavera, la hierba estaba en flor, era dos días después del cumpleaños de Aurora, un 18 de abril, día de la muerte de su esposa, caminaron a lo largo del canal Saint-Martin a partir de la puerta de La Villete. Desde que se había ido de África su visión de las cosas había evolucionado, pese a las duras pruebas y a los tormentos paradójicamente había tomado distancia, por ejemplo le guardaba menos rencor a su padre por haberles hecho vivir aquella pesadilla, por haber sido antillano y no un verdadero Negro de África, por haberlos metido, a su madre y a él, en todas esas historias políticas sin pies ni cabeza, que no servían para nada más que enfrentarse a quimeras como un quijote y hacer sufrir a los seres queridos. Al fin y al cabo su padre era un hombre sincero, un niño, igual que muchos otros, que había peleado como pudo, movido por el absurdo anhelo de que la sociedad cambiase, de que la gente mejorase. Que él se hubiera enredado en sus propias ilusiones no tenía nada de reprochable en sí. Ahora compadecía a su padre y lo comprendía mejor.

El terreno baldío surgió como una suerte de remanso, no una tierra prometida, no a tal punto quizá pero sí como un lugar agradable donde podría vivir bien, lo que para cualquier otro hubiese sido el colmo (había allí mendigos, *graffiti* y detritos, y unas fábricas y la autopista y un barrio pobre justo al lado), pero ya no veía las cosas bajo la óptica del común de los mortales, no porque hubiese perdido algo de su humanidad o se hubiese convertido de repente en una especie de animal salvaje o de bárbaro, sino tan sólo porque se sentía al margen, independiente, y como el mundo de todos modos no había hecho nunca algo por él, no se veía obligado a nada. Si tenía ganas de construirse una choza en pleno Seine-Saint Denis para vivir ahí con su hija, esto no le incumbía a nadie más, y aquí nadie vendría a tocarle los cojones y algo así no tenía precio. Por esa época volvió a creer en las fuerzas, en una especie de Dios informal y en los genios de la tierra.

De niño su madre lo había llevado a conocer a su abuelo, en la estepa tropical, a cientos de kilómetros de Dakar. El viejo había tenido por lo menos cinco mujeres y se contaba que era brujo, muchos venían de lejos a consultarlo, se acordaba muy bien de lo ocurrido aquel día, era el fin de la temporada de las lluvias, estaba cansado por el viaje, su padre no había sido invitado, nadie allí tenía ganas de ver al hijo de los esclavos, la vergüenza que había dejado encinta a su madre, cuando entraron en la casa el viejo se hallaba sentado al fondo en penumbras y miraba la tele, era la única en todo el pueblo, los saludó vagamente, dio una palmada en las nalgas de su hija, cosa que en ese momento siendo niño lo impactó, y sin embargo aquello hizo reír a su madre, y luego el viejo lo miró, diciendo: «Vaya aquí está pues nuestro pequeño bastardo», pero sin maldad alguna, como tratándose de una evidencia, y después se quedó estudiándolo fijamente, bastante rato, mordisqueando pensativamente su labio inferior, dubitativo y un poco aburrido de lo que ya sabía o de lo que descubría, y de inmediato él entendió lo que estaba en juego, qué hacía él allí, quién era el viejo y cuál era el vínculo entre ambos. Una corriente eléctrica muy suave le hizo cosquillas en el ombligo y se sintió totalmente reblandecido en su interior, como de arcilla. Era incapaz de volcar en palabras lo que había pasado exactamente y lo que le dijo el viejo, pero fue casi una revelación, con la salvedad de que no logró ni procesarlo ni hablarlo con su madre, ni con ninguna otra persona jamás, y guardó por siempre ese desconcertante secreto que le transmitiera su abuelo: él no era en realidad un hombre como todos y su vida sería una mierda y ese era su destino.

Los comienzos en el terreno baldío fueron a imagen y semejanza de los años pasados, un poco duros pero en el fondo soportables, debieron pelearse con los primeros ocupantes, con unos vagabundos que merodeaban, antes de hacerse aceptar, él y su hijo, hasta que los otros les expresaron su amistad y de a poco él se convirtió en uno de los pilares, léase el jefe, de aquel gran espacio posado como un plato volador en medio de las ciudades, algunos habrían dicho plantado allí a propósito para que fuese posible reconstruir cierta especie de caos y de vida salvaje allá donde nadie lo habría esperado.

Inscribió a su hija en la escuela, valiéndose de artimañas para instalar un buzón de correo a su nombre en un edificio cercano, para vestirla adecuadamente y asearla todos los días, así nadie se daba cuenta de nada y ella era una niña como las demás, o en todo caso no tan diferente para que alguien viniese a molestarlo o hacerla sufrir, y lo cierto es que abstracción hecha de que ella vivía en una choza y los otros niños en pisos o en casas, era completamente normal, excepto ese detalle nada desentonaba, sabía leer, escribir, por las noches él le recitaba poemas de Maiakovski o de Aragon, algo heredado de su padre, la sensibilidad y el gusto por esos poemas épicos a los que eran tan afectos los comunistas tras la guerra, esos poemas que habían acunado su infancia.

Pasamos
observando con temor
hacia lo alto
el círculo negro
espolvoreado de nieve
Con cuánta furia
galopan
las agujas del reloj de la torre Spaskaia

o

No más quejas es poblar nuestra morada
Ellos quisieron no obstante que nuestras
[manos te tocasen

Oh santa ya en tu cofre.
Apartaos de mí demonios analogías
El duelo que en mi seno como un zorro se esconde
Decid si queréis que no haya más estaciones
El sentido de mi canción qué importa que se sepa
Ya que reina hoy
Que venís a hablar en nombre de la razón.

Lograron forjarse una vida, no serena ni confortable, pero una vida al fin y al cabo, cuanto más crecía Aurora, más bella era, y mientras iba a la escuela él se organizaba, mendigaba un poco, conseguía al cierre del mercado algo con que prepararse una comida, recogía un poco de chatarra que iba a vender a La Courneuve, con su moto y su remolque, a fin de pagar la cantina y los libros escolares.

Los fines de semana, su hija lo acompañaba a jugar al fútbol, los sábados en Bagatelle, ella montaba detrás en la moto e iban hasta el bosque, por los bulevares exteriores, y los domingos en un pequeño estadio cerca del terreno baldío, él tenía la costumbre de sumarse a los partidos empezados, los jóvenes lo apreciaban, incluso se peleaban con tal de tenerlo en su equipo y lo apodaban Abuelito, Aurora se quedaba en las tribunas y miraba, se parecía a su madre china y a su abuela africana, mientras estuviese allí, sonriente y feliz de la vida, seguro que también para él todo iría lo mejor posible, las desgracias (no es que él tuviera que temerles mucho en particular) no se cruzarían en el camino y perduraría ese equilibrio precario que había logrado instaurar.

Formaban una extraña pareja y ella lo amaba y él la amaba.

Ella era casi ya una mujercita, iba al colegio, obtenía resultados más o menos correctos, en cualquier caso suficientes para que nadie se pusiera a hurgar en qué manera vivía o qué hacían sus padres o incluso si tenía padres, algunas de sus amigas estaban al tanto y otras no, podría haberse sentido incómoda o avergonzada, pero amaba tanto a su padre que esta clase de razonamientos pasaban a un segundo plano, no les daba mucha cabida.

El primer problema llegó con un partido. Unos jóvenes que andaban por allí se pusieron a hacerle bromas, a insinuarse, y uno le tocó las nalgas y ella lo abofeteó. Él estaba cambiándose al otro extremo del terreno y en el acto perdió la calma, enloqueció, molió a golpes al muchacho, si no lo hubiesen frenado lo habría destrozado o simplemente matado. Volvieron al terreno baldío y nunca más fueron los domingos al fútbol. Esa noche soñó con su abuelo africano, que lo miraba dulcemente, le sonreía y movía las manos igual que una marioneta. Su vida sería una mierda y ese era su destino. Ni siquiera sintió temor.

Unos quince días más tarde, lo despertaron un ruido y un dolor cegadores: los muchachos estaban encima y lo golpeaban, lo molían a palos, lo enroscaban con unos cables y lo dejaban hecho una cosa impotente mientras violaban a Aurora, como unos cerdos, como unos monstruos, tomando la precaución de usar preservativos mientras decían que podía tener sida y que mejor no correr riesgos.

Si de repente hubiesen reemplazado cada átomo de su sangre por plomo fundido y glacial, no habría sentido un dolor tan espantoso. Los muchachos siguieron encarnizándose buena parte de la noche antes de dejarlos, ella inmóvil y él rogando estar muerto, no haber nacido, enterrado diez metros bajo tierra, torturado hasta la agonía con el fin de expiar sus culpas, no había sabido protegerla, defenderla, y en adelante nada ya tendría sentido.

La lavó con precaución, con el bidón de agua, sin decir palabra ni hacer comentario alguno sobre lo ocurrido. Finalmente amaneció, Dios los había traicionado y llegado el buen momento ajustaría con él las cuentas. Desde ese día Aurora dejó de ir al colegio y pasaba todo el tiempo cerca del padre, fue una época en la que llovía bastante y había barro en cada palmo del baldío, lo que no facilitaba la vida.

Había existido una noche, un antes de la noche y un después de la noche, aunque ellos no volvieron a hablar, los hechos estaban allí, una oscura fisura de la que sería imposible librarse para siempre, como sabían uno y otro. Antes él había procurado que cada noche fuera un momento consagrado a la madre de Aurora, a cultivar su memoria, no con ánimo mórbido o fúnebre, sino tan sólo para celebrar una amistosa comunión. Nada más encontrarla, él había sabido que ambos se conocían desde muchísimo antes que el tiempo en vigor sobre esta tierra, y con su humilde ceremonia intentaba probar que incluso la muerte no era en suma más que un contratiempo sin mayor importancia. Después de esa noche, el ritual nocturno se transformó en una verdadera misa.

Los muchachos no regresaron de inmediato, y él se volvió un poco loco, no intentó vengarse, se sentía un tanto cansado y como atenazado en su interior por un gancho de metal que le apretaba el corazón, se quedaba con Aurora en la casucha, leyendo libros rescatados del basural y sin decir nada, saliendo en busca de alimentos y cavilando sin volver a pensar en esa noche, para ella y para él no era fácil de asumir, esa noche no había tenido lugar, era un paréntesis oscuro en el cual no se veía nada, en todo caso no lo suficiente para darse cuenta de lo que había ocurrido exactamente.

Abandonó el fútbol y ahora soñaba despierto con su infancia en África, con su madre y con su padre y con el viejo, al dormir le parecía tenerlo cerca, vigilante y presente, algo burlón pero piadoso. A veces Aurora trataba de hablarle pero él respondía esquivo, le acariciaba el cabello de una forma distraída y no se despertaba del todo hasta la ceremonia nocturna, durante la que charlaba largo y tendido con su mujer, en soninké.

Los muchachos volvieron meses más tarde, en verano, cuando ya no los esperaban, después de aquella noche había estado constantemente en alerta, presto a defenderse, pero poco a poco, visto que nada acontecía, como el aire estaba cada vez más tibio y como empezó a hacer calor, un calor infernal (por suerte estaba el frescor de los arbustos), había bajado la guardia y los hijos de puta se aprovecharon.

Le reventaron la cabeza a puntapiés y a bastonazos y lo ataron en una *remake* siniestra, Aurora gritó, muy largo rato, hasta que la acallaron y no se la oyó más, uno de los monstruos se había sentado sobre su cabeza. Cuando logró desatarse, tras haber reptado por las piedras una buena parte del día, bajo un sol que caía a plomo, todo cuanto encontró fue el cadáver de su hija entre los arbustos y la casucha patas arriba.

Su vida
Sería
Una mierda.
Y ese era
Su destino.

Sabía cómo llaman los jóvenes a ese tipo de cosas. Una historia de polla. Una historia de polla que ha terminado mal.

Ni siquiera pensó en ir a la comisaría. De todos modos, carecía de existencia legal, y qué habrían hecho los policías, ciertamente no podrían resucitar a su hija.

La enterró él mismo, en el centro del baldío, al lado del mausoleo consagrado a su mujer, delante del cual, apenas ayer, rezaba con Aurora.

Como plegaria recitó un poema de Aragon:

Pronto va terminar este viaje extraño
Un mes pasa un mes pasa y el martirio a la gente
Es lento para morir aun si tiene la edad
Tan sólo el cielo se vuelve indulgente
Estamos destinados al mismo ablandamiento
Y el mismo verdugo nos vendimiará.

que en su mente hecha migajas evocaba el dolor y una vaga compasión celestial, y como no alcanzaba ni a llorar ni a gemir ni a gritar, y sólo podía arrastrarse hasta su casucha, endurecido e insensible como una piedra, acabó diciéndose que no, que el cielo no era indulgente, que por el contrario había allí arriba una criatura fría y cruel a la que le daba placer agobiarlo, maltratarlo.

Y una gigantesca furia lo invadió.

Al día siguiente, unos hombres trajeados coparon el lugar, se esparcieron por todas partes, rondaron en torno a la casucha con aire atareado, con teléfonos móviles en las manos. Tres meses después comenzó la construcción del Gran Estadio.

Fuera del hecho que iban a ponerlo patas en la calle, en otra oportunidad él habría juzgado agradable (y hasta en cierto aspecto lógico) que escogieran su lugar para erigir la futura sede del mundial de fútbol. Luego de los hombres trajeados vinieron otros, que vallaron el terreno y limpiaron groseramente el lugar (la casucha y el altar se salvaron), y después una mañana empezaron realmente los trabajos, desalojaron a los vagabundos y como él armaba jaleo y amenazaba a medio mundo en su incomprensible lengua bambula, se lo llevaron y encerraron en la cárcel, y tuvo suerte de ser francés gracias a su padre porque de lo contrario lo metían en un avión.

Haríais mal en olvidarme.
Pasará el tiempo.
Mas volveré.

En el coche que lo llevaba a la prisión y de inmediato a su celda tuvo repetidas veces la impresión de que muy poco le habría bastado para que los muros se desplomaran, los barrotes se redujesen a polvo y él se viera en libertad.

En la cárcel se peleó, fue juzgado y condenado nuevamente. Cuando por fin salió libre, el estadio estaba casi terminado.

En verdad, como veis,
Os los dije.
He regresado.

Aurora estaba sepultada bajo toneladas de tierra y hormigón, rodeada de una corona de piedra.

Él mantuvo la calma, sólo insultó a un policía que le ordenó retirarse, no circular por la obra.

Te destruirán, te humillarán
Y ocuparán la morada de tus muertos.

El estadio era grandioso, se imaginó jugando ante una multitud que lo vitoreaba y esta idea le hizo sonreír.

En pocos días se convirtió en la pesadilla de los obreros y de los vigías, enseguida se le metió entre ceja y ceja al jefe técnico, y éste dio orden de expulsarlo fuera del perímetro, por la fuerza de ser necesario.

Fue mientras deambulaba en torno al recinto prohibido que conoció a la joven periodista; ella buscaba testimonios, cosas inéditas, cómo se había vivido el comienzo de la construcción, cómo era allí antes la vida, qué representaba un gran estadio para los vecinos. La contempló estudiando su inocencia, no debía conocer gran cosa de la vida ni saber qué son la desgracia o el dolor, pero al mismo tiempo parecía tan voluntariosa, tan dispuesta a emocionarse por los demás y por su sufrimientos, siendo a la vez tan distante, que sintió una inmensa misericordia por ella.

Por doquier, a tu alrededor, existen
[las tinieblas y la desolación
Y tú apenas sospechas su existencia.

–¿Sabe? Me gustaría mucho, realmente mucho, que me hablase del terreno baldío.

Le contó anécdotas y ella lo grabó para la radio. Va a salir al aire. Podrá escucharlo incluso, si lo desea. Ella tenía una credencial. Quienes tenían credenciales podían ingresar al lugar. Y los guardas habían cambiado, él los veía desde donde estaba, había muchos que por ser nuevos no lo conocían. Ella aceptó retribuirle ese pequeño favor. Dijo tiene que ser curioso para usted, es como volver a una casa en la que todo ha cambiado y por poco él no le preguntó si lo hacía adrede o si más bien era totalmente idiota, ella le mostraba su credencial al de vigilancia, él viene conmigo, y decidió perdonarla, tal como había perdonado a todo el mundo, a los jóvenes violadores, a la enfermedad de su mujer, a la existencia en general, a todo el mundo excepto a Dios.

Cuando el jefe técnico lo vio en pleno centro del campo de juego, excavando con una pala, levantando motas de tierra que arrojaba con frenesí, casi le da un ataque. Al día siguiente, Le Parisien tituló: "Sabotaje en el Gran Estadio, el césped en peligro", con la foto del demente que unos policías llevaban a los empujones porque se resistía. Sólo le dieron un mes, ¿después de todo que había hecho sino intentar recuperar el cadáver de su hija?

Poco antes de la tragedia, en un lote de libros viejos que un camión descargó en el baldío, había hallado una especie de tebeo, o mejor dicho un relato con dibujos, cuyo título era *Un trato con Dios*, y el recuerdo de lo leído lo obsesionaba.

Era la historia de un judío, en Brooklyn, que suscribía un pacto con Dios. Referente a su hija. Una suerte de protección, un contrato para que nada le ocurriera.

Lo mandaba grabar en una tabla de madera.
Como las tablas de la Ley.
Su hija crecía y todo marchaba bien.
Hasta que un día ella moría.

Al salir otra vez de la prisión se encaminó a Saint-Denis, la noche de la inauguración los periódicos anunciaban probables huelgas y atascos. El partido Francia-España iba a ser presenciado por un número enorme de telespectadores que asistirían, inocentes, a las galopadas frenéticas de los jugadores sobre el cadáver de Aurora.

Él se sentía sereno, no histérico como el judío que en el aquel libro maldecía al Padre Eterno con un puño en alto. Sereno y confiado en sus nuevos poderes.

Había acusado los efectos no bien dejó la prisión, como una parálisis en el fondo de sí mismo, de la cual podía surgir, concisamente, un fuego sagrado capaz de transformarlo en cualquier cosa, de volverlo invisible, de triturar a sus enemigos, de hacer llover del cielo torrentes de piedras, su ira. Lo habían vencido y quebrado y ahora el destino le tendía una mano, lo ayudaba a ponerse de nuevo en pie. Unos inspectores subieron al autobús y empezaron a molestar a la gente que no tenía billete, pero a él lo dejaron en paz.

Las inmediaciones del estadio se veían atestadas de policías, se había anunciado un refuerzo de los servicios de seguridad, él quedó bloqueado tras las rejas, eran las seis y media de la tarde, el partido no había comenzado aún.

Se sentía dividido entre la fría cólera que lo animaba y su pasión por el fútbol. A las siete menos cuarto su respiración se volvió más profunda, como si una pulsación en su plexo se estuviera poniendo a tono con las cien mil personas que había esa noche, se armonizara con ellas, las halagara y luego marcara el ritmo y dirigiera su aliento, y pronto se encontró al otro lado de las rejas, *solicita la fuerza y la fuerza vendrá*, sin asombrarse ni espantarse de ello, sabía que con una sola maniobra era capaz de reducirlos a papilla y debió hacer un esfuerzo para calmarse y esperar.

Había gente por todas partes, el estadio era una hervidero, la tribuna en que se hallaba debía de estar reservada a los VIP porque las butacas estaban separadas y la concurrencia parecía más aburrida, menos presa de la euforia que en la tribuna de al lado donde había banderolas, unos simpatizantes ya enardecidos, ese ambiente que le era de inmediato familiar y que de súbito casi hizo que olvidara para qué se encontraba allí, para ajustar las cuentas con Dios, con el Gran

Estadio y con el destino, por Aurora y para lavar la profanación de su cuerpo.

Y de improviso, como una ametralladora, el locutor arengó a la multitud, haciéndole elevar por turnos los brazos a la totalidad de la concurrencia, en medio de un clamor que se inflaba y desinflaba, ensordecedor, el locutor gritaba vamos, vamos, una vez más, y la inmensa serpentina recomenzaba, podía ver cómo se desplazaba y fluía la energía, cómo descendía al campo de juego en círculos concéntricos, esta noche será de fuego, de fuego, de fuego, y él oía el fuego del cielo, el fuego ha de descender, todo el estadio entonaba unos himnos, unos cánticos paganos y él seguía tranquilo y sereno, en lo alto de su tribuna, con una muchacha al lado que decía: «Tengo una pena de amor en este instante y esto me ha paralizado por completo», y su amiga respondía, ligeramente indiferente: «Ah bueno, sigues enamorada de ese tipo, cómo puedes sentir algo por tamaño cretino», y un hombre mayor le hablaba a su hijo de la profanación en los cementerios, de los horrores que puede representar aquello para la memoria de una comunidad. La noche, como una tapa, caía sobre el estadio. Se le había recomendado a la gente que se dotara de ropas apropiadas para el frío.

No se veía ninguna estrella, el rostro de Aurora había venido a incrustarse en su mente, tan claro como si lo hubiesen proyectado en el inmenso tablero donde se desparramaban los jugadores en plena entrada en calor, filmados por decenas de cámaras, la ola de brazos emprendía una nueva vuelta, vamos, vamos, más rápido, todavía más rápido, y él se dejó arrastrar por esa ola venida de las profundidades hasta aparecer en medio del campo, mientras un clamor histérico levantaba a la muchedumbre, víctima o no de un espejismo, quién era ese Negro que gesticulaba entre las camisetas prestigiosas, las publicidades y los rayos de los proyectores que conferían a la arena esa terrible luminosidad, un segundo después estaba nuevamente entre el público, conmovido, entre la gente que no sabía muy bien si había sido o no víctima de una alucinación o de una farsa o de una animación publicitaria, un truco montado para la tele y él, ebrio e imbuido de una energía que hubiese podido arrancar de cuajo los propios cimientos del estadio, les gruñía a sus vecinos en soninké: «Todos vosotros aquí os inclinaréis ante su cuerpo y la bendeciréis con vuestras lágrimas de arrepentimiento». Los aplastaría y dañaría hasta saciar su sed. Sintió que otra corriente que lo atravesaba y de nuevo la fuerza lo proyectó abajo, en un rayo invisible, como Superman o la Bruja Maggie, haciéndolo surgir de la nada para bailar sobre la tumba, y la gente gritó al verlo, comprendiendo en una fracción de segundo el abismo que se abría, el horror y el drama sobre los cuales estaba edificado el estadio y los castigos que sobrevendrían ahora que él había regresado a su lugar, a la tribuna, dejando tan sólo una vaga impresión, una vaga bruma de alucinación, la onda que lo había atravesado era tan poderosa que cerca estuvo de ser aniquilado.

Desconfía
Ya que unos hombres poderosos te rodean
Y si persistes en intentar ofenderles gravemente
Ellos podrían pulverizarte con su ira.

Logró calmarse, acallar la furia que lo habitaba. Parece que incluso desenterraron el cadáver y le plantaron una estaca y dibujaron unas esvásticas en el torso, repetía el viejo al que debía de ser su hijo, quien al fin, harto de tantos detalles macabros, calló al padre diciéndole: «Oye, vinimos a ver un partido, si ahora me hablas del Holocausto no me parece que sea el momento más apropiado».

El partido iba a empezar y se sentía cansado.

Podía quemarlos vivos.

Hacer que los muros y la tribuna se desplomasen.

Armar una carnicería.

Tendrías que haber visto *Shoah* el otro día por televisión, insistía el viejo, de haberlo visto no hablarías así.

Matarlos a todos.

Como una bomba de hielo que los petrificase para toda la eternidad. Su corazón latía como un reloj atómico y decidió diferir un poquito el momento porque el partido iba a empezar y de repente sintió curiosidad de ver al menos el inicio, antes de hacerlo volar todo por los aires, antes del fuego de artificio final, y de todas formas esto no cambiaría nada con respecto a Aurora, y en el mismo instante en que estaba diciéndose eso: «De todas formas esto no cambiaría nada», fue consciente de la evidencia. En el centro del campo de juego, el dibujo que formaban las líneas blancas entrecruzadas parecía contener toda su tristeza, y esta tristeza en dicho momento estaba impregnada de algo semejante a la dulzura, tomó aire por la nariz, su vecino, el viejo judío que había sido deportado, lanzó un aliento a los jugadores, y luego comenzó el partido y ya no tuvo forma de organizar sus pensamientos de modo coherente, de hallar cómo realimentar su odio y su furia, se limitó a balancear la cabeza al ritmo de los movimientos del balón, alguien dijo: «Mi querido amigo, este será un buen partido, pensar que es el primero en el Gran Estadio, es algo histórico estar aquí», y pensó, el tipo tiene razón, va a ser un buen partido y no hay por qué estropearlo. Y en resumen, ya nada tenía en verdad ninguna importancia.

EL CABELLO

Linda Lê

Algola encontró otro cabello bajo su almohada. Era igual a los otros dos, el mismo color, la misma textura. Se podría haber equivocado y creído que era uno de los suyos. Pero examinándolo de cerca, vio que no era el caso. El intruso, más sólido, más largo que los pobres cabellos finos y cansados que ella sembraba a veces en el cuarto de baño, la desafiaba. Se sentía humillada, no por la supuesta traición de su marido, sino por la arrogancia que se adivinaba tras el gesto intencionado de dejar un indicio en el lecho del crimen. La primera vez lloró mientras recogía el cabello, pero, no le dijo nada. Guardó la prueba del delito en su libro de cabecera. A la semana siguiente descubrió otro. Luego un tercero. Los cabellos reposaban entre las páginas de *Corazón de perro*, la novela que su marido le había enviado con un ramo de *miosotis* al día siguiente de su primera cita. Por ese entonces no era más que el asistente de un gran sabio. A ella le pareció curioso recibir a modo de declaración ese libro entretenido, pero terrorífico. Hasta que, al cabo de algunas noches de insomnio, consagradas a buscar el motivo de tal obsequio, entre las frases de esa fábula inquietante captó el mensaje que encerraba. El hombre que amaba esta novela era un soñador más que un científico, quizás incluso un ser fantasioso tentado por experiencias poco comunes. Aceptó volver a verlo. Él la conquistó definitivamente contándole la dura vida de una especie en vías de extinción, el hipocampo macho. Monógamo en el mundo de los excesos submarinos, el hipocampo es el animal más romántico de cuantos fueron creados. Cada mañana cambia de color e inventa una coreografía amatoria para atraer a su amante. Cuando llega la temporada de la reproducción, baila una pavana durante nueve horas seguidas para persuadir a su hembra de que le confíe los huevos que él llevará en el bolsillo de su vientre. Si su compañera muere, hace duelo y permanece a solas por un largo tiempo antes de recomenzar su pesquisa amorosa. La historia del hipocampo bien valía todos los juramentos de fidelidad. Algola mandó a encuadernar *Corazón de perro*, escogió su vestido de novia y conoció diez años de felicidad con el hipocampo, a quien le gustó imaginar bailando la pavana en los pasillos de la maternidad donde parió a Electra. El trío vivió en una armonía sólo estropeada, cada tanto, por las protestas discordantes de la madre de Algola, quien sentía por su nieta Electra una pasión equiparable al desasosiego que en ella suscitó la boda de Algola: detestaba a su yerno, lo juzgaba indigno de su hija para la que había soñado una alianza con el indolente y maleable heredero del banquero de unos amigos. El hipocampo se daba aires de sabiondo perdido en sus pensamientos, y trataba a su suegra con burlona condescendencia. Esta última le habría perdonado cualquier cosa de no ser porque se consideraba desposeída por culpa de ese desconsiderado.

Al hallar el primer cabello, Algola estuvo a punto de telefonear a su madre. Cambió de idea. Era como llamar a un pirómano para apagar un incendio. Reflexionó en soledad. ¿Debía armar una escena, dejar la casa llevándose a Elektra? Resolvió callar y mantener el ojo atento. El segundo cabello se sumó al otro entre las páginas de Bulgakov. Algola notó que había aparecido, tal como el primero, una noche de miércoles, el día que Elektra lo pasaba con su abuela y el hipocampo era inhallable en su laboratorio. Siempre que Algola llamaba de su oficina, oía decir que el director había salido, que tenía una cita. No lo interrogó a su regreso, pero se puso a observarlo con el aire de un juez que duda antes de pronunciar su veredicto. Últimamente había estado muy cariñoso con ella, signo de conciencia intranquila. Cuanto más lo miraba, más sentía cómo su animosidad se iba derritiendo. Se dijo entonces que era víctima de alguna hechicera. El miércoles siguiente, en cuanto volvió del trabajo, corrió al cuarto y alzó la almohada. El cabello estaba allí. Retorcido de tal forma que, siniestro y mordaz, parecía un signo de interrogación que la miraba. Elektra ya había vuelto de la casa de su abuela. Algola la encontró algo rara y se preguntó si su hija no albergaba, también, sospechas. ¿Tal vez había sido testigo involuntario de la atropellada huida de los amantes? ¿O quizás había descubierto otro indicio, más flagrante y obsceno? Pero todo era una falsa impresión, que se ahuyentó en cuanto Elektra, con suma locuacidad, le contó su tarde con la abuela.

El descubrimiento del tercer cabello le dio a Algola más tela que cortar. Era evidente que la desafiaban. Trató de ponerle un rostro a la enemiga y repasó los vínculos de su marido con el mismo color de pelo que ella. Retuvo dos hipótesis: Z, que tenía reputación de sembrar cizaña. El hipocampo trabajaba con ella, estaba excedido por sus locas ideas pero admitía que le gustaba su temperamento caprichoso. La otra posible adversaria era Y, que Algola había invitado una noche a cenar, alertada tal vez inconscientemente, porque su esposo había llevado a la casa unos frascos de esta científica. La invitada, gran predicadora del *chakra*, quiso enseñarles a sus anfitriones cómo liberar la energía erótica del *yoni* y del *lingam*. Les mostró el final de su espalda, donde se enroscaba la serpiente de la Kundalini, símbolo de la vitalidad sexual. Desde aquel día, Algola pensaba en ella como un *yoni* amenazante, un útero devorador, siempre insaciable en busca del *lingam*. Al tropezar con el tercer cabello, Algola trató de imaginar al hipocampo como un símbolo fálico, buscando en el *yoni* su complementariedad. Quedaba una última hipótesis, la más peligrosa: la desconocida encontrada por azar. Algola la identificó con la letra X. Que su marido hubiese sido atraído por X, Y o Z precisamente porque sus cabellos le evocaban los de su mujer, esa atenuante representaba, a ojos de Algola, una traición suplementaria. Él le había encontrado la doble y la doble dejaba en su casa, bajo la almohada, unas pruebas que eran una negación de su existencia, que la reducían a polvo.

Tras un periodo de abatimiento y oscuras reflexiones, Algola decidió actuar. Quería responder a la intrusa con los mismos métodos sutiles. Un brujo la recibió. Salió de allí provista de los más variados accesorios. Sólo le faltaba una muñeca con su mismo color de pelo. Un vendedor de juguetes antiguos exhibía justamente una en su escaparate. La compró y la escondió en el fondo del armario. Esperó a estar a solas para dedicarse a sus operaciones mágicas. Los cabellos archivados en su libro predilecto fueron a parar a la cabeza de la muñeca. Una vez pegados, se ajustaron perfectamente a la bella y sedosa melena. Algola procedió metódicamente. Paciencia y concentración, se decía pensando en las recomendaciones del brujo. Tenía a su alcance unas hojas de afeitar, unos alfileres, unas chinchetas. Había que comenzar provocando heridas leves. Algola pensó intensamente en X, Y y Z, y hundió las chinchetas en las manos, los brazos y las piernas repitiendo la fórmula que había anotado en un papel. Luego guardó la muñeca. No hubo ningún resultado. Encontró un cuarto cabello bajo la almohada. Así y todo, no se desanimó. Su marido, al volver del laboratorio, dijo que Y se había lastimado una mano y casi perdido un dedo. Al día siguiente volvió a sacar la muñeca. Concentró toda su atención en Y y plantó varios alfileres –un montón– en su vientre. Una semana pasó sin que otro cabello apareciera. Supo que Z –¡y no Y!– tenía un cáncer de estómago. Ella había apuntado a Y y era Z quien pagaba el pato. Un quinto cabello bajo la almohada llevó al colmo su desasosiego. Lo añadió a la cabellera de la muñeca, dejó pasar una semana, luego interrogó a su marido, como si nada, sobre la salud de su enemiga de doble rostro. Y y Z se sentían de maravilla. La primera no conservaba huella alguna de aquel accidente en el laboratorio. La segunda festejaba su regreso a la vida: no tenía cáncer, había sido un diagnóstico erróneo. Algola se puso a dudar de su poder o, más aún, de su ensañamiento. Se dijo que ella también había cometido un error de diagnóstico: no eran ni Y, ni Z, sino X, la peligrosa X, la todo poderosa X. De allí en adelante, pensó en su nuevo objetivo. Máxime cuando había observado cierta tristeza en el rostro de su marido. Con toda evidencia, daba vueltas a un problema que intentaba disimular. Dicha tristeza degeneró en melancolía un día después de que ella hiriera a golpes, con la hoja de afeitar, el pecho de la muñeca. Algola estaba tan feliz, que aun cuando su madre llamó para quejarse de su salud, la trató de enferma imaginaria. No estaba de ánimo para escuchar los lamentos de una anciana hipocondríaca. Se hallaba en juego su felicidad. Tampoco le prestó atención a su hija cuando le dijo: «A la abuela le duele por todas partes». Cuando su marido volvió, de humor radiante, Algola creyó en su victoria. Estaba transformado, su tristeza había desaparecido. Alegaba que una mala experiencia lo había minado. Pero se había recuperado. Algola captó el doble sentido de este discurso. El volvía a ella. Ya no descubriría ningún cabello más bajo la almohada.

Pasado el momento triunfal, Algola tuvo sin embargo una nueva angustia: mientras X siguiera viva, siempre podría arrebatarle eso que había cedido a su pesar. Sólo su completa eliminación le daría la certeza de no volver a dar con un cabello bromista. Asestó un último golpe clavando con furia, a la altura del corazón, una larga aguja. La muñeca, herida, cubierta de alfileres, parecía ahora una escultura moderna. Algola la miró y se sintió invadida por una inmensa felicidad. Era el final.

La campanilla del teléfono la arrancó de su fantasía victoriosa. Era tarde. No se había dado cuenta de la ausencia de su hija, que debería haber regresado de la escuela hacía más de una hora. Era precisamente Elektra al otro lado de la línea. *La abuela se murió*, sollozaba. Llevaba una semana yendo, después de clase, a ver a su abuela que estaba muy enferma. Algola cortó y fue corriendo a casa de su madre. Allí encontró a Electra, aún llorando. El cadáver reposaba sobre la cama. A Algola le impactó el semblante devastado de la muerta. Tomó a su hija entre los brazos. Elektra murmuró, *¿Puedo llevarme un cabello de la abuela?* Algola tambaleó, tuvo la impresión de que los muebles de la pieza mortuoria bailaban a su alrededor. *¿Por qué?*, preguntó esperando no recibir respuesta. Elektra bajó la mirada. *Para ponerlo debajo de tu almohada, la abuela ya me lo pidió antes, dijo que de este modo la amarías de nuevo.*

BIOGRAFÍA Y OBRAS DE LOS AUTORES

Paul Fournel

Nació en 1947 en Saint-Etienne y reside en la actualidad en París, luego de haber sido director de la Alianza Francesa de San Francisco, Estados Unidos, entre 1996 y 2000, y agregado cultural en la Embajada Francesa en El Cairo (2000-2003), experiencia que dio origen a su último libro: *Poils de cairote* (2004). Reconocido editor literario en Hachette, Seghers y Ramsay, crítico gastronómico en la revista *Telerama*, Fournel es además el actual presidente de la *Oulipo*, la famosa agrupación de «literatura potencial» fundada en 1960 por Raymond Queneau y Francois Le Lionnais. Autor de novelas como *L'Equilatère* (1972) y *Un homme regarde une femme* (1994), de ensayos dedicados al ciclismo (una de sus pasiones) y al teatro del giñol, de libros de poemas *(Toi qui connais du monde)* y de libros infantiles, Fournel se ha destacado sobre todo como uno de los mejores y más originales cuentistas franceses de los últimos años, como lo prueban *Les petites filles respirent le même air que nous* (1978, premio Del Duca), *Les grosses rêveuses*

(1981) y *Les Athlètes dans leur tête* (1988, premio FNAC y premio Goncourt en el rubro cuento). El cuento «El tutú» forma parte del segundo de estos libros.

Alain Spiess

Nacido en 1940, reparte su tiempo entre París y Normandía y se ha desempeñado como profesor de inglés y como traductor de diversos ensayos, entre ellos *Héros et Sarrasins: Une interprétation des chansons de geste* de Norman Daniel. Atento amante de la litetatura británica, hasta la fecha Spiess es autor de cinco novelas: *Opéra d'ombres* (1984), *Hiver* (1992), *Installation* (1995), *Anniversaire* (2001, Prix littéraire de la Ville de Caen) y *Une méprise* (2003). Su único libro de cuentos es *Pourquoi?*, que le valió en 1997 el premio Renaissance de la Nouvelle.

Didier Daeninckx

Nacido en 1949 en Saint-Denis (alrededores de París), está considerado como uno de los principales cultivadores en Francia de la novela policial. Antes de consagrarse de lleno a la escritura, Daeninckx trabajó como obrero en una imprenta y luego como periodista. Entre sus novelas destacan *Meurtres pour mémoire* (editado en 1984, dentro de la prestigiosa colección *Série Noire* de Gallimard), *Lumière noire* (1987), *Le facteur fatal* (1990), *Un château en Bohême* (1994), *Mort au premier tour* (1997) y *La repentie* (1999), muchos de ellos protagonizados por su emblemático inspector Cadin. Como cuentista, Daeninckx ha publicado diversos libros, por lo común organizados en torno a un tema central: *Hors Limites* (1992) reúne tres relatos ambientados cada cual a orillas de un río; *Zapping*

(1992) reflexiona acerca del fenómeno social de la televisión; *En marge* (1994), presenta historias de excluidos y marginales; *Main courante* (1994) es una colección de casos extremos que muestran el funcionamiento absurdo de la sociedad, lo mismo que ocurre en el libro *Passage d'enfer* (1998), de donde fue tomado el cuento incluido en esta antología. Galardonado con diversos premios (Prix Paul Féval, Prix Louis Guilloux, Grand prix de littérature policière), Daeninckx también se ha consagrado a la literatura infantil, lo cual le ha valido el premio Goncourt en dicha especialidad.

Marie-Hélène Lafon

Nacida en 1964, vive en París. Ha dado a conocer hasta el presente tres novelas: *Le Soir du chien* (2001, premio Renaudot des Lycéens), *Sur la photo* (2003) y *Mo* (2005). Su único libro de cuentos, *Liturgie*, del cual proviene el relato que integra esta antología, fue editado en el 2002 y le valió a la autora el premio Renaissance otorgado ese mismo año.

Georges-Olivier Châteaureynaud

Nacido en París en 1947, es novelista y cuentista. Desde 1966 hasta 1982 ejerció, al tiempo que escribía, diversas profesiones en los ámbitos más variados, desde una fábrica de automóviles hasta un local en el Mercado de Pulgas de Montreuil. En 1982, su novela *La Faculté des Songes* obtuvo el prestigioso premio Renaudot. Considerado uno de los mejores cuentistas franceses de los últimos tiempos, Châteaureynaud ha publicado novelas como *Singe savant tabassé par deux clowns* (2005), *Au fond du paradis* (2003), *Les Messagers* (1997) o *Le Congrès de fantomologie* (1985), y diversos libros de relatos como *Le Jardin dans l'île, Le Héros blessé aux bras, Le Goût de l'ombre, Le Kiosque et le tilleul* y *La Belle charbonnière.*

J. M. G. Le Clézio

Nacido en Niza en 1940, se volvió célebre desde muy joven, cuando su novela *Le procès-verbal* (1963) obtuvo el premio Renaudot y estuvo muy cerca de ser condecorada también con el Goncourt. Desde entonces ha publicado más de treinta libros entre novelas, ensayos, cuentos y traducciones. En 1980, fue el primer escritor en recibir el premio Paul Morand, por el conjunto de su obra. En 1994 fue elegido como el más importante entre los escritores franceses contemporáneos, a partir de una encuesta efectuada por la revista *Lire.* Entre sus novelas se destacan *Terra Amata* (1967), *Le livre des fuites* (1969), *La guerre* (1970), *Les géants* (1973), *Le chercheur d'or* (1985), *Voyage à Rodrigues* (1986), *La Quarantaine* (1995), *Poisson d'or* (1997). Como cuentista, por su parte, ha publicado *La fièvre* (1965), *Mondo et autres histoires* (1978), *Printemps et autres saisons* (1989). El cuento aquí escogido pertenece a *La ronde et autres faits divers* (1982), donde Le Clézio retrata las vidas de diferentes adolescentes e inmigrantes en rudos contextos urbanos o suburbanos.

Christophe Paviot

Nacido en Rennes, en 1967, vive en París donde en paralelo a su labor literaria ha trabajado como publicista. Gran amante de la música *rock* y de la cultura norteamericana, ha publicado tres novelas: *Les villes sont trop petites* (1999), *Le ciel n'aime pas le bleu* (2000) y *Blonde abrasive* (2005), además de los relatos de *Missiles. Et souvenirs cardiaques* (2002), libro del cual proviene el cuento aquí seleccionado.

HERVÉ JAOUEN

Nació en 1946, en Quimper. Tras una temprana vocación literaria, estudió derecho y economía y trabajó como bancario. Poco después descubrió la novela policial norteamericana y bajo esta influencia volvió a dedicarse a literatura en 1979, con su novela *La mariée rouge.* Estimado en un principio como especialista en novelas «negras», es a partir de *L'Adieu aux îles* (1986) cuando empieza a librarse de semejantes etiquetas. Enamorado de Irlanda, país al que viaja muy a menudo, ha publicado varios diarios de viaje y ha traducido a Liam O'Flaherty. Entre sus últimas novelas se cuentan *Connemara Queen* (1990), *Le fossé* (1995), *L'allumese d'étoiles* (1996), *La tentation du banquier* (1998) y *Que ma terre demeure* (2001), que es a la vez un canto de amor a la región de Bretagne y una crítica a la agricultura productivista. El cuento aquí publicado pertenece a *Merci de fermer la porte* (1999).

RENÉ BELLETTO

Nació en Lyon, en 1945, descendiente de españoles y de italofranceses, y vive en París desde 1978. Autor de un libro sobre Charles Dickens *(Les grandes espérances de Charles Dickens),* su trayectoria literaria se inició en 1974 con *Le temps mort,* que recibió el premio Jean Ray. Ese libro de cuentos, así como sus primeras novelas, se organizaba en torno a un tema central: la angustia ante una muerte absurda. En 1981, con la novela *Le revenant,* Belletto conoció la consagración, ratificada con los dos otros libros de la trilogía: *Sur la terre comme au ciel* (1983, Grand prix de littérature policière) y *L'enfer* (1986, premio Fémina). Entre sus libros más recientes sobresalen *Ville de la peur* (1998), *Créature* (2000), *Mourir* (2002) y *Coda* (2005), donde sigue jugando con las fronteras entre la literatura fantástica y el género policial. Dos de sus novelas fueran llevadas al cine: François Dupeyron filmó *La Machine* (1990) con Gérard Depardieu, mientras que *Péril en la demeure de Michel Deville* está basado en *Sur la terre comme au ciel.*

Annie Saumont

Nació en Cherbourg en 1927, y pasó su infancia y su adolescencia cerca de Rouen, antes de instalarse en París. Considerada por muchos como la cuentista francesa por excelencia de las últimas décadas, ha publicado también libros infantiles (*Marc et la plante d'Afrique* y *Une île sur papier blanc,* ambos escritos con Franck Saumont) y se ha destacado por sus traducciones de escritores de habla inglesa como J. D. Salinger, John Fowles, Robert Silverberg, Nadine Gordimer o V. S. Naipaul. Entre sus libros más destacados cabe mencionar: *Noir comme d'habitude* (2000), *Embrassons-nous* (1998), *Après* (1996), *Le lait est un liquide blanc* (1995), *Les voilà quel bonheur* (1993, premio Renaissance), *Quelque chose de la vie* (1990), *Je suis pas un camion* (1989, Grand Prix de la nouvelle de la Société des Gens de Lettres), *La terre est à nous* (1987, Prix de la nouvelle de la ville du Mans), *Quelquefois dans les cérémonies* (1981, Premio Goncourt en la categoría cuento), *Dieu regarde et se tait* (1979), *Jouer de l'harmonica* (1968) y *Marcher dans les déserts* (1963), entre otros. El cuento seleccionado para esta antología pertenece al libro *Un soir, à la maison* (2003), libro premiado por la Academia Francesa.

VINCENT RAVALEC

Nació en 1962. Autodidacta (dejó la escuela a los catorce años), fue primero aprendiz de carpintero y luego asistente cinematográfico, antes de publicar su primer libro: *Un pur moment de rock'n roll,* al que siguió *Le Cantique de la racaille* (1994, Prix de Flore), un *best-seller* convertido en largometraje por el propio autor en 1998, y *L'Auteur* (1995), suerte de autobiografía en la que Ravalec narra sus comienzos literarios. Autor de canciones grabadas, entre otros, por Johnny Hallyday (*Partie de cartes* y *Les Larmes de la gloire...*), Ravalec también ha publicado el libro de cuentos *Nouvelles du monde entier,* las novelas *Wendy 2 ou les secrets de polichinelle* y *L'Effacement progressif des consignes de sécurité* y el extenso poema *Une orange roulant sur le sol d'un parking.* El relato que integra esta antología forma parte de *Treize contes étranges* (1999).

LINDA LÊ

Nació en 1963 en Dalat, Vietnam, de madre francesa y padre vietnamita, y actualmente vive en París. Antes de instalarse en 1977 en Francia con su madre y con su hermana, pasó su infancia en Saïgon, donde estudió en el Liceo Francés. Autora de varias novelas muy bien acogidas por la crítica (*Personne, Les Evangiles du crime, Calomnies, Voix, Lettre morte, Les dits d'un idiot, Les trois Parques)* y traducidas a varios idiomas (inglés, holandés, portugués), Lê ha publicado asimismo un ensayo consagrado a Marina

Tsvetáieva y un volumen de cuentos (*Autres jeux avec le feu*, 2002), de donde se ha extraído el cuento para la presente antología.

Este libro se terminó
de imprimir en diciembre de 2005